なぜDX《デジタルトランスフォーメーション》はバックオフィスから始めるとうまくいくのか

中小企業ＤＸ推進研究会 編著

金融ブックス

はしがき

あなたの会社のＤＸ（デジタルトランスフォーメーション）は進んでいるでしょうか。

その言葉を目にしない日はないと言っていいほど、ＤＸの必要性は声高に叫ばれています。特に新型コロナ禍によるテレワークは、これを推し進めたと言っていいでしょう。

ところが、実際にＤＸがうまく進んでいるという話は、それほど身近に聞かれません。それどころか「失敗した」という声すら聞かれます。

「テレワークは一回きりでやめた」

「ソフトを買ったけれど使いこなせなかった」

「一部の社員だけのメリットで、他の社員に不満があった」

しかし、こうした声はむしろ良いほうです。せめて一回試してみたのですから。試そうともしない会社もまだ決して少なくはないでしょう。

私たち中小企業ＤＸ推進研究会は、主に会計事務所を中心とするＤＸの研究会です。

会計事務所は中小企業の身近なサポーターとして、税務・財務という面から経営の支援を行ってきましたが、経営とデジタルを一体とした支援を実現すべく、当会は活動を行っています。

昨年は『中小企業のＤＸは会計事務所に頼め！』という本を出版し、多くの方からご好評をいただきました。大がかりなシステム導入ありきでも、高価なソフト購入ありきでもない、スマホ一つ、コストはゼロ円からでも始められるＤＸの考え方は、特に中小企業の皆さんに喜んでいただけました。

しかしまだ、冒頭のようなＤＸに失敗した経験や周囲の声から、ＤＸを敬遠する中小企業は多く見受けられます。

DXの失敗にはさまざまな原因が考えられますが、新型コロナ禍を受けた急激な推進もその一つでしょう。確かに新型コロナ禍はDXを強く推し進めました。その反面、必要に駆られて無理にデジタル化を行ったことによる弊害は小さくありませんでした。結果的に逆戻りした企業もあります。

DXには、ある種「正しい進め方」というものがあります。

それがバックオフィスから始めるDXです。


本書では、バックオフィスから始めるDXについて、まずその前提となる知識をおさらいします。そのうえで、実際のサービスやソフトの提供会社への取材を基とした、具体的な導入手法や効果、落とし穴などのポイントについて紹介します。また、それぞれについて、私たち中小企業DX推進研究会が、第三者の目線から、お勧めのポイント、マッチする会社の例などについても解説しました。なお、掲載内容は、すべて執筆時点の情報であり、日々、新しい商品・サービスが生まれていることも留意ください。

巻末にはＤＸに強い会計事務所等を紹介していますので、よろしければお気軽にご相談ください。

本書が、中小企業の皆さんが抱える課題の解決につながれば何よりです。

中小企業ＤＸ推進研究会

Contents もくじ

なぜDXは バックオフィスから始めると うまくいくのか

はしがき …… 2

第1章 なぜ中小企業のDXは失敗するのか

1 DXはこうして失敗する …… 12
2 DXへの期待と誤解 …… 24
3 取り組まないこと・目的を見失うことがDXの失敗 …… 38
4 中小企業のDXには進め方がある …… 44

第2章 なぜDXはバックオフィスから始めるとうまくいくのか

1 バックオフィスとは何か …… 50
2 バックオフィスから始めるDXはハードルが低い …… 58

3 バックオフィスのデジタル化で生産性向上……64
4 バックオフィスにはコストをかける経営的価値……74

第3章 なぜ会計事務所がバックオフィスのデジタル化に強いのか

1 必要なのはITリテラシーよりビジネスリテラシー……82
2 会計事務所が伝えたい「データの生かし方」……88
3 会計事務所と共に進める最大の強み……104

第4章 バックオフィスのデジタル化を進めよう

1 経理退職！　危機乗り越え、未来志向に進化できた理由……114
2 直感的操作でバックオフィスを一元管理。経営判断にも効果大……128
3 会計のクラウド化から、紙の電子化、営業支援へ……142
4 勤怠、給与の作業時間が「4分の1」になった仕組み……156
5 残業時間10分の1。勤怠管理のデジタル化から社員の意識も変わる……170

6　残業時間20%削減。電話をテキスト情報にしてくれる電話番サービス……184
7　作業の確認時間が90%削減。介護の煩雑な管理業務がスッキリ!……198

第5章　バックオフィスから会社は変わる

1　企業文化が変わる……214
2　「未来会計」で「これから」を見よう……222
3　バックオフィスのDXが目指すもの……228

中小企業DX推進研究会会員一覧……233

コラム

ニュースが報じないDX裏話 …… 23
セキュリティ対策の見落としにご用心 …… 37
DXに必要なアジャイルマインド …… 43
自店も顧客もメリット大タブレットPOSレジ …… 67
オープンソースは〝おいしい〟選択肢? …… 73
カスタマージャーニーをデータで裏取り …… 103
激安ツールはなぜ安い? 見落とせない変動コスト …… 112
バックオフィスが効率化 API連携のメリット …… 212
経理の新たな役割データ・サイエンティスト …… 221
使えるデータを見出すデータマイニング …… 227
モチベーションが見える?! データ分析の近未来 …… 232

DX from Back Office

第1章

なぜ
中小企業のDXは
失敗するのか

DX from Back Office

1

DXはこうして失敗する

会社のDXは進みましたか?

あなたの会社のDXは進んでいますか?

ニュースや街中などでは「DX」の二文字がすぐさま目に飛び込んでくるようになりました。

きっかけの一つはテレワークでしょう。もともとは東京2020オリンピック・パラリンピック開催に向けて、政府が推進を呼びかけていたものでした。交通の混雑を緩和するため、企業の在宅勤務を増やす必要があったからです。

しかし、それを実現したのは新型コロナウィルスだったと言えます。感染症の拡大を防ぐ外出制限によって在宅勤務・テレワークが一挙に進んだのです。そしてテレワークの普及を契機にＤＸ（デジタル・トランスフォーメーション）について、より活発な議論が行われるようになりました。

今やＤＸはどんな会社も可能な限り早くやるべき命題とされています。それまでの生活習慣・ビジネスの常識がコロナ禍によって覆された２０２０年は、一般レベルでの「ＤＸ元年」だったと言えるかもしれません。

私たち中小企業ＤＸ推進研究会では、中小企業の課題解決と経営革新に役立つＤＸの推進をサポートし、ウェブサイトやセミナーを通して、さまざまな情報を発信しています。

その立場から見たとき、自信をもって「うちのＤＸは進んでいる」と言える中小企業はまだまだ少数派です。それどころか「うちはＤＸに失敗しました」という声さえ聞こえてきます。

ＤＸの障壁

たとえばこんな話です。

経営トップは先代から引き継いだばかりの若社長。彼の会社では高齢に差し掛かりつつあるベテランの経理担当者が、いわば番頭さんのように会社の活動を裏で支えていました。

若社長は就任の際、会社のＤＸを宣言し、業務の改革に乗り出しました。しかし、その番頭さんは自分のやり方を変えようとはしません。長年、経理の仕事を一手に引き受けてきた手腕に社内のだれもが「○○さんに任せておけば安心」と全幅の信頼を寄せています。

若社長は逆にそれが不安でした。どうやらその番頭さん本人にしかわからない方法があるらしく、手作業での経理処理も少なくないようです。信頼とは裏腹に、具体的にどんな作業を行っているのか、分かっている社員が他に誰もいないことも大きな問題に思えました。しかし若社長がいろいろ尋ねても、番頭さんは「経理のことは私に任せておいてください。社長には他にもっと大事なことがたくさんあるのですから」と聞く耳を持ちません。先月の売上を聞いても梨のつぶてで困っていました。

若社長は、もし彼が退職していなくなったら、どうなるだろうと心配でなりませんでした。そこで経理の仕事をより楽に、能率的にこなせるようにしていきたい、と新しいシステムの導入を匂わせて話し合いましたが、番頭さんは「今のままで困らないから」とかたくなに態度を変えないまま……。

折しも2020年になってコロナ禍に見舞われ、DXを進めなくては、という焦りの気持ちが若社長を動かしました。彼は独自にベンダー企業に相談し、経理関係のクラウドシステムの導入を検討。契約まで結びました。そこまでセッティングして強引に押し切ってしまおうとしたのです。

用語　**ベンダー**

コンピュータやネットワーク機器といったハードウェア、アプリなどのソフトウェアを供給する事業者（製造元と販売者）を指します。

しかし、そこで件の番頭さんの猛反対に遭い、他の社員らもその意見に同調します。結局、社内で協力を得られず孤立してしまった若社長は、混乱によって業務がストップするのを恐れ、システムを解約せざるを得なくなりました。計画は頓挫し、もちろん経理はもとのやり方のままです。その番頭さんの仕事をきちんと引き継げる適任者はどこにも見当たりません。若社長は数年後のことを非常に危惧しています。

他には「テレワークがうまくいかない」という話もよく耳にします。一度やってはみたものの「やっぱりリアルに顔を合わせて話さないと意思が伝わらない」と、一時の対応で終わってしまった会社も多いようです。

要因はさまざまです。社員の勤務状況が把握できなくて困るというのが管理職側の意見。逆に社員のほうから在宅ではやる気にならないとか、家族がいるのでストレスになるといったものが多いようです。そもそも会社への帰属意識が強く、仕事とプライベートとの区別を付けたがる日本人には向いていないのではないか、といった声もあり、中小企業にテレワークが定着したとはまだ言えません。

不公平な取り組みで不満爆発

また、社員間のＩＴリテラシーのギャップもＤＸの障壁になっていると言えそうです。

ある会社ではＩＴに詳しい営業部の社員の強い要望で新規顧客開拓用のデジタルツールを導入しました。新規開拓をするのはハードルが高いと感じている営業社員たちをサポートする数々の機能が付いているのですが、他に使いこなせる社員がいません。

要望を出した社員一人だけがそのツールを使って営業成績を伸ばしました

用語　**ＩＴリテラシー**

パソコンやスマートフォンといったＩＴ機器を使う能力であり、また、通信・ネットワーク・セキュリティなど、ＩＴに紐付くものへの知識や、操作する能力を指します。

が、営業部の中で不公平感から嫌なムードが蔓延《まんえん》し、社内全体にも悪い影響を及ぼすようになりました。

魔法の杖のはずがお蔵入り

東京2020やコロナ禍などに関係なく、もう何年も前からDXに取り組んでいたという会社もあるでしょう。

「当然、DXは知っている」「デジタルがそもそも好き」という例で、「うちの会社は先進的だ」という自負もあります。デジタルツールに関する情報・知識もたくさん持っており、コンサルタントやベンダーの提案に積極的に耳を傾けます。そして、「あれも良い」「これも必要」「こんな機能があると役立ちそう」と考え、まるでコレクターのように高機能のツールをどんどん取り入れます。

ところが結局、実際に使っているのはそのうちの3割程度。やっと使いこなし方を覚えたと思ったら、また新しいツールを入れて、といったことを繰り返す状態になっています。

これはちょっと極端な例かもしれませんが、ここまでではなくても、意気込んで導入したツールなのに結局、使いこなせないまま放置している会社は少なくないようです。

あなたの会社はどうでしょうか？

ラクになるはずが忙しいだけ

経営者はいろいろな理想を思い描いてＤＸに取り組み始めます。自社の製品・サービスをより広くアピールし、より愛してもらうこと。それによって売り上げを上げること。社員に意欲を持って生き生きと働いてもらうこと。特にテクノロジーが進歩する社会では、人間にしかできないことに注力して、社員がそれぞれスキルアップを図ってもらいたい。

そんな思いのもとに情報を集め、コストは掛かるがこれも投資だと考えてデジタルツールの導入を決裁します。それなのに一向にそれらを生かせません。どうすればうまく活用できるか頭を悩ませるのは社長の自分だけ。自分だけが忙しく、会社にとってのメリットが感じられません。このままＤＸを続けても無駄ではないか、時間・労力・コストの浪費ではないか、辞めて元に戻したほうがいいのではないかと考え始めます。

成功事例は大企業ばかり？

中小企業にはＤＸは向いていないのでしょうか。

たしかにメディアで報道され、話題となるＤＸの成功事例の大半は、大企業のものがほとんどです。

たとえば、小松製作所はドローンによる3次元測量、３Ｄ施工計画やシミュレーション、ＩＣＴ建機とアプリで３Ｄ施工や施工管理、ドローンによる３Ｄ出来形《できがた》検査などを取り入れることで大幅に工数を短縮。具体的には従来だと７６５日掛かっていた施行工程を４７０日に短縮しました。これは時間・労力を減らし、コストを削減し、新しいサービスを提供することに主眼を置いた取り組みです。

これだけでも驚いてしまうような取り組みですが、これは小松製作所が推進しているＤＸ「スマートコンストラクション」のごく一部に過ぎません。業界全体の課題が解決できなければ、いずれ自社のビジネスも成り立たなくなると考えた同社。自社のみならず建設現場全体を改革しようと「安全性・生産性の高い、スマートでクリーンな建設現場の実現」を目指し、２０１５年から本格的にＤＸをスタートさせました。多くの社員がデータ活用や情報発信について、自主的に新しい施策を提案するとともに、顧客やパートナー企業など社内外のさまざまなステークホルダーを巻き込みながら進んでいます。

「……ちょっと真似できない」と気後れするかもしれませんね。

実際、大企業と中小企業とではＤＸの取り組みに差があります。日本能率協会が全国主要企業の約５千社を対象に行った「２０２０年度（第41回）当面する企業経営課題に関する調査」によると、「ＤＸへの取り組み状況」は従

DX への取り組み状況

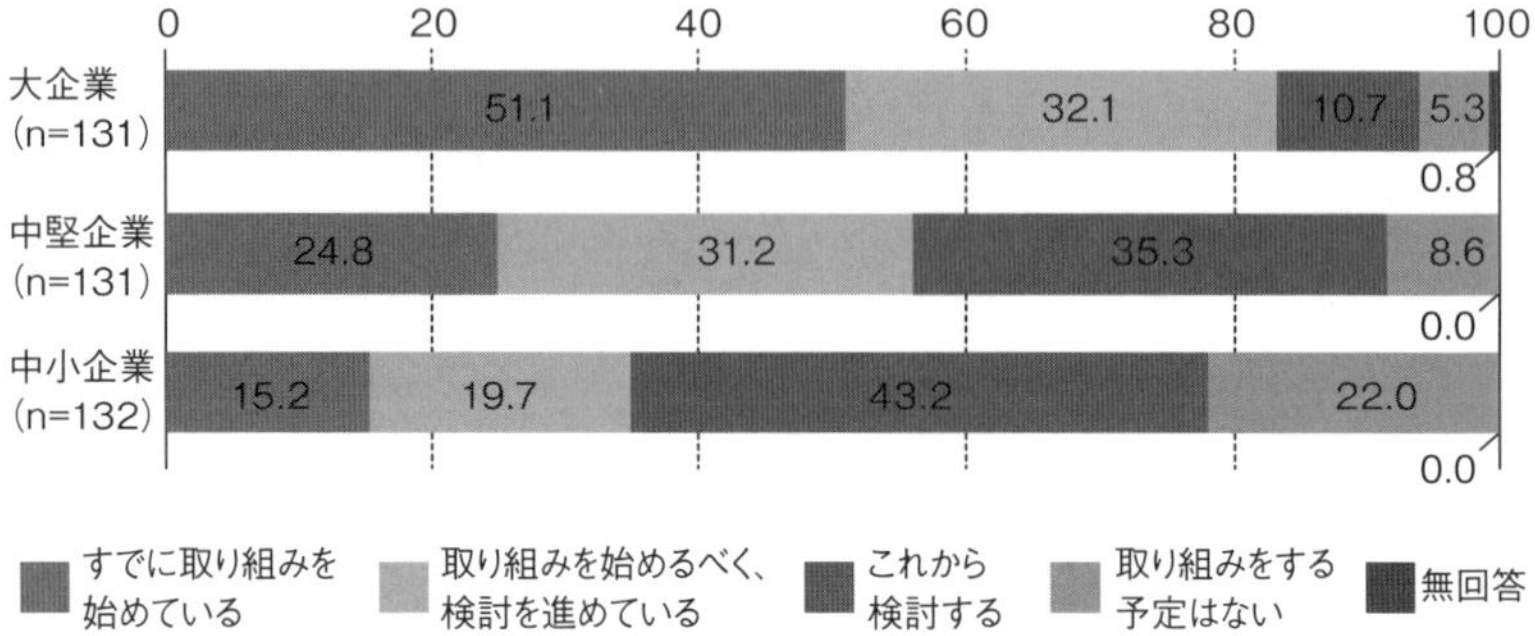

単位：%、n=532
『2020 年度（第 41 回）当面する企業経営課題に関する調査』（一般社団法人日本能率協会）より

業員数が3千人以上の大企業では、「すでに始めている」「検討を進めている」といった回答が合わせて8割以上に上りました。

従業員数3百人以上3千人未満の中堅企業では推進・検討に着手済みが56%、それ以下の中小企業では34%となっており、取り組みの進捗は企業規模に比例するという調査結果が出ています。

これだけ見ると、やはり資金力に乏しく、時間的・人材的に余裕のない中小企業にとっては難しいことなのだと思えてしまいます。

COLUMN

ニュースが報じない DX裏話

経済産業省は２０１８年に「DX レポート」を発表しました。そこには「DX は既存システムの刷新」という、誤解を招きかねない内容が見受けられました。２０２５年までに既存システム刷新を集中的に推進しないと、最大１２兆円／年の経済損失が生じる可能性があるという“２０２５年の崖”です。

こうした警鐘の鳴らし方は、ある意味でシステムベンダーに都合良く、うまく切り取られて自社製品やサービスのアピールに使われることもありました。事実、ウェブ・ニュースになる DX 関連の記事は、ベンダーが発信している個別サービスに関するものがほとんどです。マーケティングを優位に進めるために DX という御旗を掲げることが、本来の趣旨からすれば大きな誤りであることはお分かりになることでしょう。DX は定義が曖昧な言葉です。専門家を名乗る人たちでも、DX が何かを明確に定義していない人は少なくありません。

経済産業省は２０２０年に「DX レポート２」を発表しました。その内容は先述の「DX レポート」の内容が誤解を生んだことを認め、より企業変革に重きを置いたものに修正された感があります。

（税理士法人ストラテジー　園田 剛士）

DX from Back Office

2

ＤＸへの期待と誤解

デジタル技術が未来に光をもたらす

ネガティブな話ばかりを続けましたが、そもそもＤＸが話題になっていることには理由があります。

２０２０年以降、大きな四角いバッグを背負ったＵｂｅｒ Ｅａｔｓ《ウーバーイーツ》の配達員たちが街中を自転車で駆け抜ける姿をしばしば見かけるようになったことでしょう。

このフードデリバリーシステムは、営業自粛要請で困窮する飲食店、ランチ難民である利用者、そして仕事を求める配達員という三者の間を、それぞれのスマートフォン（デジタルデバイス）でつなぐことで成立しています。新たなビジネスモデルですが、単に利益になると言うだけでなく、デジタルの力によって潜在的な需要と供給の関係を発掘し、互いに救済・喜びを得られるサービスであることに特徴があります。

デジタル技術は今まで考えられなかったことを可能にし、社会に光をもたらす力を秘めています。あなた自身もすでに実感しているのではないでしょうか？　それならＤＸに取り組むことは時間や労力の無駄ではないはずです。

政府がＤＸに力を入れる理由

総務省・経済産業省をはじめとする省庁は、東京２０２０オリンピック・パラリンピックの開催が決定した２０１４年９月から首都圏のテレワークを推進してきました。

２０１８年12月には経済産業省が「デジタルトランスフォーメーションを推進するためのガイドライン（ＤＸ推進ガイドライン）」を発表。

さらに日本政府は、社会全体のＤＸの実現に向けて、２０２１年９月にデジタル庁を創設します。マイナンバーの所管は総務省や内閣府からデジタル庁の一元的な体制に移行し、２０２２年度末にはほぼ全国民にマイナンバーカードが行き渡ることを目指しています。

政府がこれだけＤＸに力を入れるのは、社会の少子高齢化に伴う労働力不足の解消などの課題解決が期待されているからです。人手が減っていく中で生産力を上げ、経済力を維持していくためには、より高度なシステムを構築し、運営していくことが必要になります。

同時に経済産業省は「２０２５年の崖」という言葉を使って、古いシステムでは間もなく市場の需要に対応できなくなると警告を発しました。

日本の企業では20年以上運用している「レガシーシステム」がまだ全体の約６割を占めます。レガシーとは英語で「遺産」という意味です。古いプログラミング言語で書かれた基幹システムやソフトウェア、さらに修正やアップデートができないという問題があるシステムをこのように呼んでいます。

その保守管理を担ってきた人たちが大勢現場から引退してしまうのが２０２５年前後。そこを境に多くの企業の市場競争力が衰え、価値も下がってしまうと、大きな懸念を抱いているのです。

日本のデジタル競争力は世界第27位

経済産業省は２０２１年から２０２５年を「ＤＸファースト期間」と設定して、レガシーシステムの刷新を提案し、企業のＤＸ推進サポートにも乗り出しました。そこには国際競争力の低下を意識した〝焦り〟も感じられます。

ビジネススクールＩＭＤ（国際経営開発研究所）が発表した「世界デジタル競争力ランキング２０２０」で、日本は63の対象国の中で第27位。上位を占めるのは欧米諸国ですが、アジア圏だけで見てもシンガポール、香港、韓国、台湾、

世界デジタル競争力ランキング 2020

順位	国・地域
1（1）	アメリカ
2（2）	シンガポール
3（4）	デンマーク
4（3）	スウェーデン
5（8）	香港
6（5）	スイス
7（6）	オランダ
8（10）	韓国
9（9）	ノルウェー
10（7）	フィンランド
11（13）	台湾
…	
16（22）	中国
27（23）	日本

カッコ内は前年順位、
「国際経営開発研究所（IMD）」より

中国、マレーシアなどの後塵を拝しており、大きく遅れていると言わざるを得ません。

このランキングは政府や企業がどれだけ積極的にデジタル技術を活用しているかを示したもので、①知識（新しい技術を開発し理解するうえでのノウハウ）、②技術（デジタル技術の開発を可能にする全体的な環境）、③将来への準備（デジタル変革を活用するための準備の度合い）の3つの大項目、さらに分類された小項目で評価しています。

日本は、①における「人材の国際経験」（63位）と「デジタル技術のスキル」（62位）、③における「将来への準備におけるビッグデータの機会と脅威」（63位）、「活用と分析」（63位）、「企業の俊敏性」（63位）の5項目が最下位、もしくはそれに近い順位となっており、大きな弱点とされています。

今回のコロナ禍においても、台湾はデジタル技術を駆使した政府の対応により、感染拡大を防止して評価を大きく上げました。それに対し、日本は保健所から自治体へのＰＣＲ検査の陽性者の報告が、いまだにＦＡＸで行われていたことなど、前時代的なやり方が目立つことになりました。

他国と比べて政府も企業も危機意識が乏しいことが、DXの遅れにつながっていることは明らかです。規模の大小を問わず、間もなくどこの企業も「うちにはDXなど関係ない」とは言っていられない状況になるでしょう。

DXとは何か

ここまであえてDXについて説明してきませんでした。あなたはきちんと説明できるでしょうか。DXはデジタルツールを取り入れること、デジタルツールを使って業務を行うことと誤解していないでしょうか。

DXとはDigital Transformationの略で、英語圏ではtransをXと表記する慣習があるため、他の略語との混同を避けて、DXと表します。直訳は「デジタル変換」ですが、その影響力の大きさから「デジタル変革」が一般的な訳語として世の中に広まりました。

経済産業省は「DX推進ガイドライン」においてDXを次のように定義し

ています。
「企業がビジネス環境の激しい変化に対応し、データとデジタル技術を活用して、顧客や社会のニーズを基に、製品やサービス、ビジネスモデルを変革するとともに、業務そのものや、組織、プロセス、企業文化・風土を変革し、競争上の優位性を確立すること」

つまり、「データとデジタル技術を活用する」ことはあくまで手段であり、「ビジネスモデルを変革するとともに、業務そのものや、組織、プロセス、企業文化・風土を変革」することが目的です。この目的を達成できなければ、DXを行ったことにはなりません。

データに基づいた思考力を生み出すDX

さらに市場との関係からDXを説明すると、今後はあらゆる市場においてデジタルデータが新しい価値を生み出す世の中に変わっていきます。どんな商品を出せば人々が購入してくれるか、どんなサービスを提供すれば利用してもらえるのかを考えるとき、企業側はまずデータからスタートする文化になっていきます。企業がこれまでの考え方を変え、そうしたデータ中心の思考回路に変えていくこと、データに基づく思考力を生み出すことがＤＸであるとも言えるでしょう。

従来であれば、さまざまなビジネスの根幹には、その道、数十年の職人の直感、豊富な経験を積んだベテランの知見、カリスマ経営者の見立てといった、その人でなければ分からない要素が関わっていました。

しかし、これらは〝属人的〟な要素であるため、その職人さんやベテラン社員、カリスマ社長といった人たちが何らかの事情でいなくなってしまったら、事業を継続していくことが難しくなります。ですから個人の力に頼るのではなく、数値化されたデータという誰もが共有できる知識、情報という他の人でも再現可能な資産を使うことで事業を維持・発展させていこうという考え方――それがＤＸ、デジタルトランスフォーメーションなのです。

デジタル化からDXへのステップアップ

つまり、デジタルツールを取り入れて業務を行うことは、あくまで「デジタル化」です。デジタル化はDXを行う大前提ですが、本当のポイントはもっと先にあります。

デジタル化したことによって何ができるようになるのかを考え、既存事業をさらに発展させる。あるいは新たな企画を考案し、新規事業を立ち上げる。それを市場に投げかけ、果敢に挑戦する、そして会社の在り方を変え、働き方を変える――DXとはこうしたダイナミックな変化すべてを指しています。

それでは、単なるデジタル化とDXについて、ペーパーレス化の例から説明してみましょう。

オフィスには大量の書類があります。その書類のファイルを収納するキャビネットが大きな面積を占め、まるで書類の保管庫の中にデスクを置いて仕事をしているような会社も珍しくありません。場所を取るだけでなく、目的の書類を探すのに時間も取られます。こうした紙を減らしてオフィスのダイ

DXの流れ（ペーパーレス化の例）

エットを図り、管理を簡単に迅速にします。

それにはまず、紙の書類を、異なるソフトやアプリケーション、フォーマットの違いを超えてやりとりができる「電子の紙」に変換します。たとえば、ワードやエクセルで作った文書データは、基本的にワードやエクセルが端末に入ってないと見ることができません。しかし、それをＰＤＦなどに変換することによって、どんな端末でもデータの保存・閲覧・印刷が可能になります。また、手書きの文書をスキャンして変換したデータも同様に扱えます。

ここまでがデジタル化です。

費用はほとんど掛からないので、導入す

るだけなら今日・明日からでも可能です。ただ、せっかくこうして書類をデジタル化しても、それをまたいちいち紙に印刷していてはこれまでと同じです。従来と変わらないプロセスで処理してアナログ的な管理をしていては意味がありません。

電子の紙は、基本的にそのまま端末の画面で文面に目を通し、確認し、処理を行うほうが効率的です。そしてインデックスを付け、ファイリングし、必要に応じて、いつでも誰でも取り出せるようにする——つまり会社全体で共有し、運用できるようにします。

こうしてペーパーレスで業務を回し、スタッフにもなじんでくれれば、DXの第一段階をクリアしたと言えるでしょう。

しかし、ここまでやるには、デジタル化した書類をどう回していくか、社内においてしっかり話し合うことが大切です。実はDXで重要なのは、どのツールを使うかよりも、そのツールをどのように運用し、活用して事業を発展させるのか、社員同士でコミュニケーションを取ることなのです。

最初に失敗例として紹介した若社長の場合も番頭さんの抵抗を理由にしていますが、事前の社内のコミュニケーションが不足していた、準備不足だったことは否めません。

「どうしてわが社はＤＸを行う必要があるか？」

これは全員が納得するまでしっかり話し合わなくてはなりません。場合によっては企業理念や事業コンセプトまでさかのぼり、デジタル化によって何を変え、会社にとってどんなメリットが生まれるのか？　それによってお客様にどんな喜びが与えられるのかを考え直します。

こうしたプロセスを経て、新しい考え方の習慣を付け、多様化する社会のニーズに合わせて企業文化を変革していくことがＤＸの本来の意義です。言い換えればデジタル化を行う前にコミュニケーションを深めることが、すでにＤＸのはじめの一歩になっているのです。

誤解があるから失敗する

しかし、こうした本来の意義を把握し、しっかりはじめの一歩を踏んでスタートする会社はほとんどありません。

時間もコストも人手も最小限で、より効率よく仕事を進めたい——それもＤＸの一つの要素ではあり、肌で感じ取れるメリットです。しかし、そのことばかりにこだわって本質を理解せず、最初の段階を飛ばしてしまったり、おざなりに済ませてしまうと、結局、逆戻りするリスクも高くなります。

ツールを使い始めると当初は戸惑いや困惑が増し、一時的にストレスも大きくなります。仕事の効率も落ち、思いもよらないミスも起こるでしょう。そんなことが何度か続くと、「従来のやり方が一番いい」「わざわざＤＸなんてする必要はない」という結論に達してしまうのではないでしょうか。

「デジタルツールを使って業務を効率化すること」という一面だけを捉えてＤＸを解釈しているとこうした誤解が生まれます。そして、その誤解がＤＸの失敗になっていると私たちは考えます。

COLUMN

セキュリティ対策の見落としにご用心

「どんどんデジタルツールを入れてDXを進めていこう！」という前向きな姿勢はとても良いのですが、セキュリティ面でのリスクにも注意を払っておく必要があります。デジタルツールの活用とセキュリティ管理は一体のものです。

特に配慮したいのが、インターネット経由でサービスを利用するSaaS《サース》や、インターネット上にデータを保存するクラウドサービスでしょう。便利な一方でインターネットに接続しなければなりませんし、データをインターネット上に置く危険性も知っておきたいものです。

ツールを契約する際には、ちょっと長くても利用契約を読んで、データの第三者利用などチェックして理解したうえで進めることをお勧めします。

そのうえで、IDやパスワードが流出しないように従業員にはセキュリティ意識を持ってもらうようにきちんと伝えていく必要があります。また、定期的なパスワード変更も有効です。

一方で、セキュリティ・リスクに怯えすぎてDXの第一歩を踏み出さないのも避けたいものです。リスクを知って対策を打てば、必要以上に怖がることもありません。

（イプシロン株式会社　角田 達也）

3

取り組まないこと・目的を見失うことがDXの失敗

トライは失敗ではない

失敗するなら最初から取り組まなければよい――それも一つの考え方かもしれません。

DXをしていないからと言って仕事がなくなるわけではない。会社が潰れるわけでもない。あるいは経営者によっては自分の代で終わりにしてよい。それでいいじゃないか――そう考えるのなら、確かにDXを行うメリットはなく、取り組む必要もないでしょう。

しかし今後、市場の変化に柔軟に対応し、将来的に事業を継続していく意思があれば、こうした考え方は改めて、トライしてみるべきです。

なぜならＤＸの失敗とは「何もやらないこと」または「やったけど逆戻りして二度とトライしないこと」だからです。たった一度で「わが社のＤＸは失敗だった」と結論付けてしまうこと、その考え方自体が〝失敗〟です。

仕事に合わないツール、事業の目的達成に役立たないツールであれば無理に使う必要はありません。手段は取り替えていいのです。あの手この手と試してみることです。

最終的に何年か後、「ビジネスモデルを変革するとともに、業務そのものや、組織、プロセス、企業文化・風土を変革」することができればいいわけですから。

試行錯誤を繰り返しながらでも前進することがＤＸの成功を手繰り寄せます。

何のためにＤＸに取り組むのか

ただし、ただひたすら続ければいいかというと、そうでもありません。もう一つ、「ＤＸの失敗」と言えるのは、何のためにやっているのか、経営トップをはじめ、社内の誰も分からなくなってしまうことでしょう。トランスフォーメーション（変革）をする目的を見失った状態で、ツールの使い方ばかり懸命に学び、目先の業務を処理するだけでは意味がありません。

あくまでＤＸは会社のビジョン・事業目的とセットになったものです。これはどこの会社でも陥る恐れのある失敗です。繰り返しになりますが、ＤＸに取り組む意義を社内で突き詰めて話し合い、目的を共有しておく必要があります。

中小企業は課題だらけ

今、何かしらの課題に直面していない中小企業はありません。

人材不足や事業承継に悩んでいない会社はないと言っていいでしょう。労働人口が減少していく中、求める人材を採用するのは難しく、ましてや後継者を確保するのは至難の業です。経営者のカリスマ性・ワンマン体制でうまく回ってきた会社ほど、難局に直面します。

日々の資金繰りも楽ではないですし、思わぬ自然災害リスクが起こることも不思議ではありません。異常気象や地震に加え、今回のコロナ禍のような感染症から引き起こされる社会の活動制限と混乱も災害リスクの一種です。

こうした山積みの課題にも、ＤＸを進めることによって解決、もしくはリスク軽減できることはたくさんあります。

一例として人材の課題に目を向けてみましょう。

経理担当者が、会計のデジタルツールを導入することによって負担が大幅に減れば、営業を担当してもらうことも可能になります。時間に余裕が生まれれば、新しい打ち手がとれるのです。

二歩下がっても三歩進もう

このように考えていくと、やはりＤＸに取り組まないことが失敗――ＤＸの失敗と言うよりも、事業体そのものの失敗だと分かるでしょう。

一度試してうまくいかなくても構いません。何度でも試してみればいいのです。途中で逆戻りしたり、頓挫したりしても取り組みを続ければ失敗ではありません。

そしてＤＸに一律な「正解」はありません。あるのはそれぞれの会社、それぞれの事業にマッチした「最適解」です。業種・事業内容の違いはもとより、企業理念、規模、地域性、お客様の特性など、会社によって違うのは当たり前です。だからどんなＤＸが最適なのかも、それぞれの会社によって違います。

他社の取り組みの良いところはどんどん真似て取り入れて構いませんが、比較して優劣を競っても意味はありません。何よりも自社のビジョン・事業目的あってのＤＸです。回り道を恐れず、試行錯誤を繰り返しながら、自分たちの会社に最も適した、最も役に立つＤＸをめざしましょう。

COLUMN

DXに必要なアジャイルマインド

DXと聞けば、「とても大ごとだから踏み出しづらい。来年こそ……」とためらう会社もあるかもしれません。ですが「明日やろうは馬鹿野郎」という言葉もあるように、そのような考え方ではいつまでたっても踏み出せません。それどころかITの世界は非常にスピード感があり、いつの間にか周回遅れになっていても不思議でありません。新しい取り組みには「まずやってみる」の精神も必要です。

決して精神論だけで言っているのではありません。実際、ITの世界でも「まずやってみる」という姿勢で開発を進めるほうが早く進むという例があります。アジャイル開発と呼ばれる進め方で、アジャイルとは「俊敏」「素早い」という意味です。小さくとも手をつけ、結果をできる限り早く検証し、改善することにより、大きな結果が得られるのです。こうしたアジャイルマインドがDXを進めるうえでも必要でしょう。

一方で、もし失敗しても責めないということも付け加えたいルールです。何度も検証すれば失敗もありますし、それをいちいち責められては萎縮してしまいます。小さな挑戦を受け入れる、企業としての器も大事かもしれません。

（税理士法人 さくら優和パートナーズ　岡野 訓）

4

中小企業のＤＸには進め方がある

中小企業は余裕がない

中小企業がＤＸを推進するうえで悩むのが、時間や人材に「余裕がない」ということです。

中小企業の社員は所属部署ごとに分かれていても、実際にはいろいろな業務を兼任せざるを得ません。大企業のようにＩＴ管理部やＤＸ推進課といった専門部署を設け、毎日ツールやシステムの導入を検討したり、会社のＤＸプラン策定に専念することは現実的ではないでしょう。

毎日時間に追われながらいろいろな仕事をこなしているので「ＤＸのことは手が空いたときにやろう」と思っているうちに、あっという間に1か月、半年、１年と経ち、結局手を付けられずじまいということが起こりがちです。こういった状況こそ中小企業のＤＸが遅々として進まないことにつながっています。

中小企業は大企業よりもＤＸを進めやすい

その一方で大企業よりも中小企業のほうが進めやすい面もあります。それは単純に人数が少ないほうがコミュニケーションを取りやすく、社内で意思統一が図りやすいからです。

ＤＸは全社的な取り組みです。経営トップが「やる」という意思を示せば、そのままスピーディーに、ダイナミックに変革ができます。

また、コスト面でも有利です。ＤＸを進めるためのデジタルツール、システム導入は、人数が多ければ多いほどコストがかさむからです。

こうした点から考えると、より小規模な会社ほど取り組みやすいのです。社員が10人、20人程度のうちにＤＸを根付かせて企業文化にしてしまえば、新しく入ってくる社員もそれをごく日常的なものとして受け入れ、社内のデータを共有できます。それによって即戦力として働けるわけです。

中小企業のＤＸは難しい？

ただ、それも経営者の考え方次第です。懸念されるのは、よく勉強している経営者の方ほど「中小企業のＤＸは難しい」という先入観を抱いていることです。

確かにお客様と対面で接する必要がある業種では、オンラインで仕事を行うのは難しい側面があります。しかし他の部分のデジタル化はできますし、そこからＤＸを展開していくことは可能です。

不可能な側面ばかりをピックアップして、すべての中小企業が難しいと思い込んでしまうのは良くありません。

中小企業でも可能な業務からデジタル化を推進し、ＤＸの実現に向けての好スタートを切っている事例は沢山あります。本書では第４章にそのいくつかを採り上げました。

まず、心理的なハードルを取り払うこと。そして、現在の会社の状況を整理し、何が自社にとって大切なことか、あるいは同業他社に比べてウィークポイントは何かといったことが把握できると、自社のＤＸの進め方が見えてきます。そういう意味でも小回りの利く中小企業はＤＸに取り組みやすいのです。

正しい結果は正しい手段から

自社の状況の整理・分析はＤＸを始めるうえで、とても重要なので、ぜひやってほしいことですが、やはりいきなりそこから入るのは、入口としてハードルが高いかも知れません。そこで、どこから手を付ければいいのか悩む会社のためにお勧めしたいのが「バックオフィスから始める」ことです。

どんな会社にもバックオフィス業務があります。もちろん、あなたの会社にもあります。バックオフィスは業種の違いを問いません。あらゆる会社にとってＤＸを推進するための正しい手段――それが「バックオフィスから始めるＤＸ」なのです。正しい手段からは正しい結果、つまりあなたの会社にとって最適なＤＸの成功につながります。

「難しい」という先入観、「一度失敗した」という挫折感を拭い去ってトライしてみてください。バックオフィスから始めるＤＸなら大丈夫です。

DX from Back Office

第2章

なぜDXは
バックオフィスから
始めると
うまくいくのか

DX from Back Office

1

バックオフィスとは何か

営業以外はバックオフィス？

そもそも「バックオフィス」が何を指すか説明できるでしょうか？

バックとはＢａｃｋ、後方という意味ですから、会社の後方支援？　ちょっと分かりづらいかも知れませんね。

開発や製造、営業や広報、マーケティングなどはフロントオフィスで、その他がバックオフィスだという説明が一般的です。総務や経理の仕事だと思っている人も多いでしょう。総務や経理の仕事はたしかにそうですが、他にも人事・労務・法務・営業事務など、かなり広い範囲にわたっています。

別の言い方では「直接利益を生み出さない業務全般」です。これに対して開発や製造、営業や広報、マーケティングなどは「直接利益に関わっている業務全般」と言えます。

いずれにしてもバックオフィスについて正しく理解し、説明できることは、自分の経営する会社がどのようなプロセスで動いているのか、その全体像を把握していることでもあります。

バックオフィスから始めるＤＸの前提になることですから、まずはその仕事の中身を分解していくところから始めたいと思います。

バックオフィスは顧客評価を左右する

たとえばあなたが半年後の事務所移転を機に、木製のオフィス家具に一新したいと考えたとします。

そこで、あなたは、あるオフィス家具会社に目星を付け、展示販売も行っているショールームに足を運びました。営業員は親切で隣接する製造工房も見学させてくれました。製造スタッフがやや疲れた様子だったことが気になりましたが、ショールームに置かれた家具はデザイン性が高く、何より営業員の対応が良かったので購入を決めました。

ところがいざ製品が届くと、雑な作りが見てとれて、さらには請求書の金額が見積書と異なっていました。営業員に電話をかけると、「製品の作りは製造のミス」「請求書の誤りは経理のミス」としか説明されません。あとから周囲に評判を聞くと、どうやらこの会社は残業代も曖昧で、勤務形態のあやふやさにスタッフの入れ替わりも激しいようです。

「せっかくデザインも良い製品で、営業も良かったのに……」と、あなたはすっかり残念な気持ちになってしまいました。営業員への印象も悪くなり、二度と買いたくないと思うようになりました。

このように、顧客の評価は営業や製造だけで決まるわけではありません。

請求処理が確実であればこそ、営業員は安心して次の営業提案へと話を進められるはずです。きちんと労務管理ができていればこそ、製造スタッフは張り切って腕を振るうでしょうし、長く勤めたいと思えるでしょう。

顧客からは直接見られない仕事の数々が、顧客の評価に大きく関わってくるのです。

バックオフィスの５つの機能

企業活動は基本的にフロントオフィスとバックオフィスによって成り立っています。

フロントオフィスは製品・サービスを企画・開発・製造し、これを販売する役割を担います。先のオフィス家具会社の例で言えば、フロントオフィスは、家具を作る製造スタッフや、営業員がこれに当たります。

一方のバックオフィスの業務について、一つずつ確認してみましょう。

①経理・財務

経理は支払い・請求などの出納業務や記帳、決算書作成のための集計など、企業活動に関わるお金とその流れを管理する業務です。経理が過去にどれだけお金の出し入れがあったか処理・管理するのに対して、主に未来へ向けてどれだけお金の出し入れが必要なのかを計画・手配するのが財務です。つまり予算管理や資産運用を行う業務です。会社によっては、経理が兼任していることも少なくありません。

②人事・労務

人事は人材に関する業務全般を担います。主に社員の採用、教育、評価、配置などを行います。

労務は、企業で働く従業員の給与計算や社会保険などに関する業務を担当。近年は過重労働やハラスメント防止等の労務管理も求められています。

③法務

法務は契約書のリーガルチェック、コンプライアンスの周知徹底など、企業活動で生じた法務関連業務を担います。

④総務・庶務

総務・庶務は従業員をサポートし、企業活動を円滑にする業務で福利厚生関連、オフィス・施設の設備管理や備品の管理を行います。

⑤事務

営業事務は営業担当者が営業活動に集中できる環境を作るためのサポート、一般事務は見積書作成・資料作成・社内申請事務・契約書登録等が主な仕事です。一般的な考えでは、営業事務をバックオフィスとは呼びませんが、実務で見れば、これらすべてを営業員が行っているとは限らず、営業一人ひとりがバックオフィスを持っているとも言えるでしょう。

これらがバックオフィスの仕事で、それぞれの業務内容を説明するため、あえて分けて紹介しましたが、中小企業の場合は、経理と財務、人事・労務と法務など、いくつか兼任していることがほとんどではないかと思います。

また、ベンチャーや少人数の会社は生産部門（企画・開発・製造など）と販売部門（営業・販促・広報など）もすべて社員で分担して兼務しています。社長自らすべてのポジションを受け持っていることもあります。

バックオフィス業務の流れ

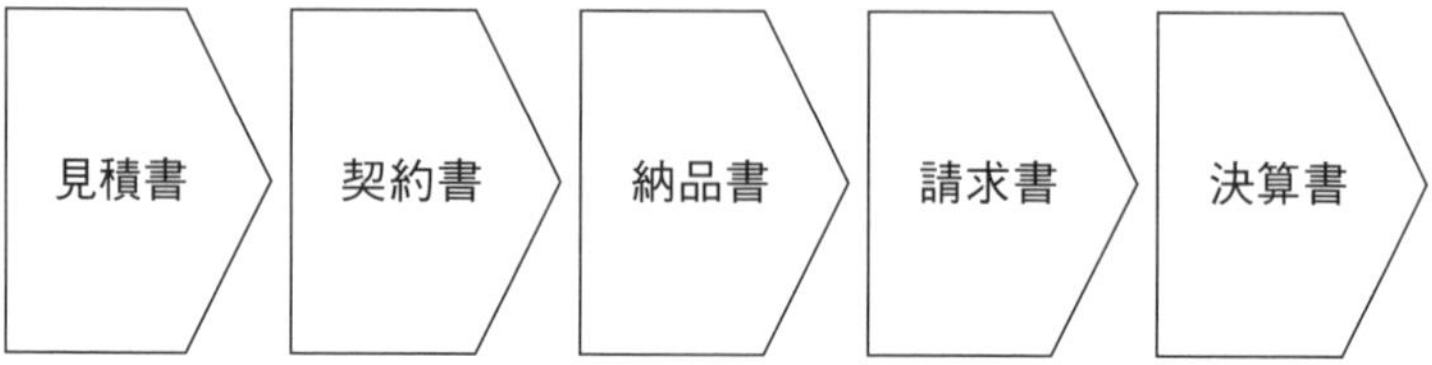

バックオフィス業務の流れ

バックオフィスの視点で見ると、企業の業務の大まかな流れはどんな業種でも共通した部分が多くあります。製造業でもサービス業でも、見込みを立て、営業活動を行い、取引先と契約を結び、実際に製品やサービスを提供し、納品して売り上げる。前後してそこまでに掛かった費用を支払う。そして期末には、これらすべてを振り返り、決算となります。

これをお金の流れに沿って書類として書き出してみると、上図の流れです。

単純化すればこれだけですが、このベーシックな流れに沿って、あちこちの部署で多様な仕事が発生しています。しかしそれぞれの詳細について情報を共有している会社はあまりないと思います。電話やメールの応対、郵便や荷物の発送・受け取りまで含め、いったいどこでどんな仕事が日常的に発生しているのか、現状を把握する必要があります。一度、各部署の担当者が集まってホワイトボードなどに書き出してみるといいでしょう。

これによって会社の業務の全体像が俯瞰でき、どこに問題があるのか、改善すべきはどの部分なのかが見えてくるはずです。こうした業務の流れに、私たちがＤＸはバックオフィスから始めたほうがいいとお話する理由があります。

2

バックオフィスから始めるDXはハードルが低い

バックオフィス業務はゴールが決まっている

私たちは会計事務所としてお付き合いのある、多種多様な会社の業務を見ていますが、先ほどもお話したように業種に関係なく、バックオフィスにおける業務の大きな流れはどこでも変わりません。「見積書はめったに出さない」など、会社ごとのプロセスの中で細かい差異は出てくるものの、ゴールにたどり着くまでのコースは同じなのです。

他の分野ではそうはいきません。たとえば生産機能の分野では、高いクオリティの製品・よりお客様に喜ばれるサービスを作る手段に唯一の正解はありません。その業種の特性、その会社の考え方、その製品・サービスの特徴や、市場がどういう環境かによって大きく異なります。

販売機能の分野も同様です。どういう営業のかけ方、販売手法が最も効果的なのかはその製品・サービスによって、さらに対象とするお客様によって千差万別です。

ところがバックオフィスの業務にはそうした変動的な要素はあまりありません。毎期の決算という動かせないゴールがあるので、そのゴールに向かってすべての仕事が進んでいきます。

こうした一般的なコース・ゴールがあるということは、どこのポイントが問題になっているのか、障害になっているのか、見つけやすいのです。そしてそれに対してどんな効率化・デジタル化をすればいいのか考えやすくなります。異なる業種でも応用できる事例がたくさんあります。私たちがバックオフィスのＤＸならハードルが低いのでお勧めできるというのは、そんな理由からです。

バックオフィスは減点方式？

また、どんな体裁にすればいいか決まっている仕事が多いという点でも、バックオフィスはデジタル化に適しています。決算書にはどんな会社でも売上高や売上総利益、当期純利益など、決まった項目が並びます。この種の書類を作成するのに高いデザイン性を求められることはまずありません。見積書一つとっても、顧客が求めるのは「いったいいくら掛かるか？」という数字であって、綺麗なデザインではありません。「数字を下げてほしい」と何度も食い下がられることはあっても、「もっと美しい見た目にしてほしい」と言われたことはないはずです。

バックオフィスは減点方式です。間違えることは許されません。生産機能や販売機能の分野のように、よりよい品質の製品、より効果のある販売方法という終わりのないゴールをどこまでも追求して疲れてしまうこともありません。

高いクオリティは必要ないと言うと語弊があるかもしれませんが、ごくシンプルに考えたほうがいいのです。バックオフィスの業務に求められるのは、スピードと確実性です。この２つの課題をしっかりクリアすることです。その点でもデジタルツールが力を発揮します。

もしもバックオフィスのデジタル化が後回しだったら

製品・サービスを生み出し、販売することで利益が創出されます。だから多くの企業はこのフロント方面の業務ばかりに目が向き、生産力・販売力アップのために積極的に投資してデジタル化を進めようとします。けれども残念ながら、利益に直接貢献するわけではないバックオフィス業務への投資は後回しにされがちになっています。そのため、まだペーパーレスさえ実現できず、紙と印鑑で仕事を進めている中小企業が非常に多いのが実情です。けれどもこうした考え方は改めてほしいと私たちは考えています。

バックオフィスのデジタル化はいわばＤＸを推進していくための大事な基礎工事です。基礎工事を飛ばして、目立つ分野の業務ばかりどんどんデジタル化していくと、次第にあちらこちらに弊害が起こってきます。

たとえば営業部門で商談が進み、過去の取引内容の確認が必要になった場合などを想像してみてください。契約書を管理している部門に問い合わせが集中してしまいます。また、会社宛にかかってきた電話を取り次ぐ際に、担当者をいちいち内線表や名簿から探し出さなくてはなりません。「それが大問題?」と思うかもしれませんが、一つひとつは些細なことでも、毎日そうした雑務が積み重なると膨大なロスになります。

それにいくら生産や販売の面でデジタル化を進めても、会計・事務処理の流れと連動していないと、せっかく導入したツールの機能が十分生かせなくなる恐れがあります。ツールの買い直しやシステムの組み直しといった二度手間になり、大規模な変更に発展しかねません。また、システムが工事中になって社内が混乱することで、生産性が落ちたり、営業活動が滞ったり、思ってもみなかったトラブルが発生するなど、悪循環に陥ったりする場合もあります。

直接売上に関わらないバックオフィスの業務は社内で目立たないため、放置されやすく、なかなか思い切った改善に踏み切れません。それにほとんどがルーティンワークなので何日間か業務を止めて一斉にやることも難しい環境です。

しかし、業務フローを作って検証してみれば分かるように、必ずすべての業務に間接的に関わっており、その影響はけっして小さくありません。中小企業のＤＸは生産や販売の分野でどんなツールを入れてどう業務を効率化しようか検討する前に、まずバックオフィスの業務をどう整理したらいいかという点から考えていくのが鉄則なのです。

バックオフィスのデジタル化で生産性向上

経理・財務が一気通貫

では実際にバックオフィスの業務が手作業からデジタル化されると、仕事の流れはどう変わるのでしょう。

一例として、経理における書類作成の流れから説明します。

意外とあるのが、請求書をエクセルで作っている例です。ここには少なくない時間や労力の無駄が潜んでいます。

具体的に、ある会社であった手順を追っていきます。まず営業担当者が、自分で作った見積書を印刷して、経理担当者に手渡します。次に経理担当者はこの数字や宛先を見ながら、請求書をワードで作り直します。経理担当者がこれを印刷して、間違いがないように営業担当者の確認と、さらには上長の確認も経て、ようやく完成します。そして、さらに一つひとつの請求をまとめて月末に締めます。

請求書の完成までに社内手順をきちんと踏む紆余曲折《うよきょくせつ》は、ある種の達成感も得られる日本的な「儀式」の一環だったかもしれません。しかし、見積書の数字を手打ちしていけば、「１０００」という数字を「１００」と打ち誤ることだって起こり得ます。コピー&ペーストでも同じことです。ミス発見のためのダブルチェック、トリプルチェックを毎回繰り返すのでは、明らかに時間と労力のロスです。また、こうしたプロセスの会社では、締めの際にミスが見つかっても、さかのぼって原因を突き止めることも時間が掛かります。

そもそも、こうした会社は、ワードやエクセルを綺麗で読みやすい体裁で書類を作れる清書ソフトとしか捉えていない可能性があります。もともと日本ではワープロソフトが清書ツールとして普及してきた背景もあります。しかし、インターネット環境が整備されてずいぶん経ちましたし、データは蓄積し、共有して活用するＤＸ時代です。綺麗に印刷するためではなく、そこに入力されたデータをどのように流用するかを考えていかないと、デジタル化の意味は乏しく、ＤＸにもつながっていきません。

この古い習慣をちゃんとデジタル化してみましょう。何度も繰り返しますが、最終ゴールは決算です。それをしっかり認識して進めていくと、これまでの儀式的ニュアンスの強い書類づくりの作業は、数字を紐付けるためにデータ化する合理的な作業に変わるはずです。

最初の見積書で数字を入力し、数字が決まれば、そのまま何度も流用すればいいのです。業務フローに沿って、同じボールをパスして回しながらゴールへ向かうイメージです。書類ごとに何回も入力をし直す必要はありません。見積書に入力した数字は、自然とその後の請求書や決算書へ次々と引き継がれていきます。そうするとチェックも最小限で済み、ミスも起こりにくくなります。生産分野も営業分野も経理の書類が出来上がるのを長時間待たずに済むため、業務全体の流れは劇的にスピードアップするはずです。

COLUMN

自店も顧客もメリット大タブレットPOSレジ

業種により、請求書を毎回、発行しない会社もあります。特に飲食店や小売店などはレジで会計をします。「日計表の記入が手間」「会計ソフトに売上を手入力するのが面倒」と悩むならタブレットPOS《ポス》レジがお勧めです。

タブレットPOSレジは、商品金額の計算などの従来のレジにあった機能だけでなく、販売データが記録されることがメリット。入力した売上が都度、データ化され、最終的に会計データにも紐付きます。さらに従来のレジより導入コストが安価。よく知られるのはAirレジでしょう。

ある店舗では、手入力による頻繁な誤りだけでなく、レジとは別にクレジット決済を行っていたためにクレジット決済額の入力時のミスもありました。しかしタブレットPOSレジの導入で、こうした誤りも無くなったのです。

導入して慣れるまでは大変なこともあるかもしれません。しかし、慣れると効率化によるスピード感も期待できますし、商品別売上や顧客情報等データから、以前はおぼろげだった自店の特徴も見えます。分析から売上アップにもつなげられるでしょう。自店のメリットだけでなく、お客様メリットにもなるなら、導入しない手はありません。

（株式会社イワサキ経営　吉川 正明）

情報活用は人事・労務でも

入力の作業を最小限にとどめ、できるだけ同じデータを流用する——これは人事の場合も同様です。

採用の面から考えてみましょう。社員が入社後（あるいは従業員が就労後）、その人のパーソナルな情報を得て、給与計算をして、給与明細を発行して、年末調整をする……といった作業を必ずどの会社でも行っています。

これまで一般的な会社では人材を採用する際、まず紙に書かれた履歴書を受け取り、面接のための情報として管理します。そして入社が決まれば改めてもう一度、その人に個人情報を書いて提出してもらいます。

これをデジタル化するとどうなるでしょう。まず募集の時点でパソコンやスマートフォンなどデジタル端末を使ってエントリーしてもらいます。入社の際はそのデータをベーシックな人事データとして転換し、社会保険や給与振込、税金の計算、有給休暇の取得など、各種の手続きのために運用していきます。そうすれば、入社後もデータ入力の手間は半分以下で済むでしょう。

雇用される社員も、何度も自分の情報を提出するのは負担ですし、人によっては提出が遅れる場合もあります。一人や二人ならともかく、何十人、何百人と雇用管理しなくてはならない場合、そこにかける労力・時間の差は膨大なものになるので、それが改善できると会社にとってのメリットは非常に大きいはずです。

勤怠管理も従来のタイムカードだと、まず打刻された情報を確認しながらパソコンで入力・集計をして、次にその集計された数字を、給与計算用の別のソフトに入れ直すといった作業が発生します。給与計算だけでなく、退職する際には離職票を作るために、1年で何日・何時間働いたかといった集計をし直します。

勤怠管理はこうした作業を繰り返しているわけですが、これもデジタル化して端末に出退勤の時刻を社員（従業員）がそれぞれ自分で毎日入力するという方式に変えれば、人事担当者の労力と時間はかなり軽減できるでしょう。残業時間なども一目で分かるようになり、職場の状況に応じて、1か月の合計労働時間を調整するなど、働き方改革につながるメリットもあります。勤怠管理のデジタル化からＤＸが進み、働く人たちの気持ちが前向きになり、社内が非常に活性化された事例もあります。

営業活動が効率化

営業事務もバックオフィス業務の一つです。営業活動をサポートするための資料や書類の作成（社内会議用、顧客用のプレゼンテーション資料、提案書、請求書、見積書など）、さらに商品の在庫や納期の管理、電話やメール対応など、多岐にわたる仕事があります。

たとえば資料を作る場合、案件ごと、あるいは説明を行う相手ごとに、いちいち手作業で作っていると非常に手間暇が掛かります。これもデジタル化によって大きく改善できます。

たとえば各自で作っていたファイルをクラウドに置いて、そこにアクセスすることで誰でも参照できるようにしておきます。そうすればデータを探して集める作業が軽減でき、資料作りも効率化できます。あるいは過去の資料にアレンジを加えて別の形に作成できる場合もあります。

　また、取引先の名刺をデータ化し、連絡先がすぐに取り出せるようにする仕組みなども営業活動の流れをスムーズにします。営業も専用ツールを入れる前に、バックオフィスの部分をデジタル化することで改善できる余地が大きいと言えるでしょう。

実感がわくから推進力アップ

　デジタル化によって「効率的になった」「作業が楽になった」と体感できることは、いわば成功体験になり、大きなメリットです。そしてそれと同じくらい重要なのが、業務の多くを数値としてモニタリング（指標管理）しやすくできることです。

　経理における見積もりから支出・収入までの金額、人事（労務）における労働時間などはその顕著な例ですが、バックオフィスをデジタル化することによって、会社の業務がどのような状態で推移しているのか容易に、スピーディーに確認できます。これが経営判断に大きな役割を果たすことは言うまでもありません。

体感としても、可視化された数値としても、両面からその波及効果を認識することで会社全体のＤＸは緩やかに、しかし確実に動き始めていくのです。月末に苦しそうな顔、「忙しいから声かけないで」という空気を醸《かも》し出していた経理担当者の口もとに穏やかな笑みが戻るかもしれません。あるいは、残業から解放されて、顔を見る時間が減ることすらあるかもしれませんね。

COLUMN

オープンソースは“おいしい”選択肢？

世の中にはさまざまなソフトが販売されていますが、あるいは中小企業には“オープンソース”も一つの選択肢です。

オープンソースとは、簡単に言えば無償で使えるソフトウェアのこと。ソフトウェアを動かすプログラム（ソースコード）が、公開（オープン）され、多くの人が自由に利用・改造できるようになっています。ホームページを作るためのソフトウェア「WordPress《ワードプレス》」は、その代表例です。

デジタルツールの扱いに慣れてくると「もっと自社の業務に合うようにしたい」という思いが湧いてくるものです。しかし、一般的に販売されているソフトウェアでは限界もあり、一方でゼロから作るのではコストが掛かって仕方ない……。そんなときに、オープンソースの、自由度の高いカスタマイズ性やコスト面でのメリットは、中小企業にとっても選択肢の一つになり得るでしょう。

ただし、オープンソースのソフトウェアは、会社等で管理されているわけでもないため、きちんとしたサポートがあるとは限りません。導入をはじめ、トラブルが生じた際には、知識がある程度ある人でなければ対応が難しいというリスクもあることには留意ください。

（株式会社葵ビジネスコンサルタンツ　横田 昭夫）

バックオフィスにコストをかける経営的価値

バックオフィスをデジタル化するメリットはこうした現場レベルの話にとどまりません。

何よりも経営に、大きなメリットをもたらします。

なぜなら、バックオフィスをデジタル化すれば、経営に必要な数字がすぐに出てくるようになるからです。

「今月の売上はいくらになりそう？」

バックオフィスが、決算というゴールに向かって、決まったコースで動いていくことはお分かりいただけたと思います。雨水が河の流れに沿って海に流れ込むように、売上も経費も、すべての数字はバックオフィスのプロセスに沿って加工されて決算書に表されます。

裏返せば、バックオフィスをデジタル化するということは、売上も経費もすべての数字をデジタル化してデータとして蓄積していくということです。

経営者にとっては、成績表でもある決算書が気になるのは当然ですが、それを形づくる売上も経費も気になるはずでしょう。

「今月の売上はいくらになりそう？」

と、口グセのように営業部に聞いている経営者もいます。

ところが、これがなかなか出てこないという話も聞きます。出てこないから、せっついて、口グセになっているわけです。

しかし、依頼された社員が何もやっていないわけではありません。バインダーをめくって急いで書類を作っているかもしれません。

営業部のあまりの遅さに、経営者はしびれを切らして、経理部に聞くと答えてくれますが、遅れて報告された営業部からの数字とは異なっている。どちらが正しいか判断がつきません。

こういう状況は、経営者にストレスが溜まりますが、社員にもストレスが溜まります。イライラが募れば、パフォーマンスにも悪い影響が出てきます。

「お前たちがストレスを溜めるなんてお門違いだ！」

なんて思わないでください。その怒りこそお門違いでしょう。デジタル化を進めていなかった経営者の責任でもありますから。

情報集約コストが減る

バックオフィスをデジタル化するメリットは、数字をデータにしていくことによって売上が即座に確認できることですし、こうした営業部と経理部との数字の差異をなくすことです。

デジタル化に投資するには、ためらいもあるかもしれません。投資に掛かるコストが気にならないわけがありませんよね。

「経理担当者に人件費を払っているのに、さらに新たな会計ソフトなどのデジタルツールを入れるのはコストを二重にかけることではないか」と考えてしまうのも無理はありません。

たしかにその部分にだけ目を向ければ、コストが増えるというのは正しい指摘です。しかし、部署別にくくって、ここはコストが掛かっている・ここは掛かっていないと判別するのでなく、業務をトータルに見た場合にどうかという視点を持つことが大切です。ＤＸをバックオフィスから始める目的は、情報集約コストを大幅に減らすためと言っても過言ではありません。

中小企業は〝ワンデータ〟

バックオフィスをデジタル化することとは、会社全体から言えば、数字を「ワンデータ」にしていくことだと言えるでしょう。

ワンデータとは、社内のあちこちに分散しているデータを１つにそろえるという意味の、私たちの造語です。

ワンデータには３つの意味があります。

１つ目は、数字の扱い方を１つに合わせるという意味です。

先ほどの例で言えば、営業部と経理部で持っている数字の扱い方が違っていては、業務どころか経営に支障をきたします。1時間20分を切り捨てて1時間15分にするか、そのまま1時間20分にしておくかといった、数字の扱い方をそろえておかなければ、加工の手間がかかることになります。残業時間の把握が人事部と営業部で異なれば、勤務意欲にも影響が出るリスクも考えられるでしょう。

2つ目は、保存形式を1つにするという意味です。

営業部ではエクセルに数字を入力しているのに、経理部ではなぜか紙から同じデータを入力して資料を作って、請求に回していたりもします。こうした状況をなくせば、数字のミスもなくなります。

3つ目は、データが集まる場所を1つにするという意味です。

たとえば製造部にコストを聞いて、営業部に売上を聞いて、ようやく利益が分かるという状況では、非効率的を通り越して致命的です。1か所にまとめられれば、即座に経営判断が下せます。あるいは、オープン化することで互いの数字が分かりますから、コストばかりかける製造も、値引きばかりする営業も減っていくかもしれませんね。

バックオフィスは、ワンデータにしていくという視点でも、デジタル化に向いていますし、その波及効果は大きいでしょう。

バラバラの数字に悩まされずに済めば、会社全体のイライラも減ります。

データから次の打ち手を見つける

数字は経営状況を如実に表します。１期の数字だけでは分かりませんが、２期を合わせると業績の上下が見えてきます。３期もあれば、それが一時的なものかどうか、より正確に分かります。銀行との面談を想像してください。「３期分の決算書を用意してくださいね」と言われた覚えはないでしょうか。これは銀行が、あなたの会社の経営状況をできるだけ正確に知りたいからです。

デジタル化で、数字はデータとなります。そして、蓄積されていきます。

蓄積されたデータからは傾向が読み取れますから、対策を取りたいと考えるはずです。いえ、もとはと言えば対策が取りたくて「今月の売上はいくらになりそう?」と口グセのように聞いていたはずです。

経営目標を達成するために、社内のいたるところで的確な調整・手当てを行うのが経営者の仕事です。バックオフィスのデジタル化は、その第一歩に過ぎません。

第1章で「デジタルデータが新しい価値を生み出す」と言いました。バックオフィスをデジタル化し、ワンデータにする意義はまさしくここにあります。価値を生み出すデータが、こうして手元にそろうのです。

うまく活用したいと思いませんか?

では、どのように数字を読み、対策を講じればいいのでしょうか。これらのデータについて、広い視野でとらえ、次の打ち手を見つけたいと考えたなら、私たち会計事務所は間違いなくお役に立てるはずです。会計事務所は、幅広い業種の中小企業とお付き合いし、日々数字と向き合っているのですから。

次章では、会計事務所が、そうしたデータの活用先も含めて、バックオフィスのデジタル化に強い理由についてお話していきましょう。

DX from Back Office

第3章

なぜ会計事務所がバックオフィスのデジタル化に強いのか

1

必要なのはＩＴリテラシーよりビジネスリテラシー

ＤＸはＩＴだけでは成り立たない

ここまで読んで、「ＤＸの本なのにあまりＩＴテクニックの話が出てこないな」と疑問に思った方もいるかもしれません。「ＩＴに詳しくならないと、そもそもデジタル化なんて無理だよ」と。

ご心配は無用です。

ＤＸに必要なのはＩＴリテラシーよりもビジネスリテラシーです。ＤＸは会社のビジョンとセットで行うべきものであり、むしろビジョンのほうが重要です。そのため、ＩＴの知識を高めることより、ビジネスへの理解を高めることに目を向けたほうがいいでしょう。

ただし大げさな話をしているわけではありません。「きちんと自分の会社を知りましょう」というだけです。

「なあんだ、そんなことか」と気楽に考えていただきたい一方で、油断しないでほしいという思いが私たちにはあります。

「誰がどんな仕事をしていますか？」

「先月の売り上げを把握していますか？」

「経費はどうですか？」

「来期の目標は？」

こうした質問に意外と、ぱっと答えられない経営者もいます。

自分の会社のことがちゃんと分かっていない限り、どんなに高機能なデジタルツールを入れたところでＤＸは失敗してしまいます。デジタルツールはあくまで道具に過ぎません。道具に振り回されるわけにはいかないのです。

「やれやれ、それでは仕事の勉強から始めなくてはいけないのか」と億劫《おっくう》がる必要はありません。思い起こしてください。すでにこれらの話を共有している相手がいるはずです。

それが会計事務所です。

会計事務所はビジネスを共有している

会計事務所は数字を読み解くプロです。

最近では税務や経理のお手伝い役を超えて、財務コンサルティングという、いわば参謀役として中小企業と協働し、会計の知識・ノウハウに基づいて数字を分析しながら会社の財務計画について提案したり助言を行ったりしています。

さらに強みを挙げれば、顧問相手として多様な業種の企業と関わっています。そこからいくつもの場面で得た経験知からお伝えできることがたくさんあります。

経営者は会計事務所に対して、会社としてどう活動していきたいのか、事業をどう育てていきたいのか、経営の在り方について、定期的に会話を交わしていることでしょう。

ですから会計事務所は、その会社の事情について、ビジネスモデルと数字と経営者からしっかり情報を得ています。そして同時に、業種を問わない多くの会社の中での好事例を把握しています。サポートのための材料を十分に用意しているので、「ＤＸのために、ゼロから自社のことを勉強し直さなければ」という不安を抱く必要は全くないのです。

バックオフィス業務を熟知

第２章では、ＤＸはバックオフィスから始めるとうまくいくとお伝えしました。

バックオフィス業務は、そのコースとゴールが決まっていて、デジタル化を進めやすいからです。会計事務所は、バックオフィスの業務を特に熟知しています。決算書の作成のために、さまざまな数字を集め、落とし込んできた経験があります。

会社内のさまざまな数字をすべて見てきたのは、経営者の他には会計事務所しかいないと言っても過言ではないでしょう。

従業員の皆さんはどうでしょうか？　社内の各部署では自分の業務範囲に関わる数字には非常に敏感になりますが、他の部署の数字にはほとんど興味を持ちません。

ましてや会社の外からデジタルツールを提案する販売店の立場からは、こうした数字をすべて見ることは難しいでしょう。すると結局、導入する会社にとって最適なツールというより〝販売店にとって最適〟な、値段の高いツールを薦めるというケースもあり得ます。

経営目標や実情などに合わせた、最適なバックオフィスを作り上げる点で、会計事務所がアドバイスできる範囲は決して小さくはありません。

数字をビジネスに生かす視点

バックオフィスのデジタル化によって、数字はワンデータになっていきます。

せっかくのデータを経営戦略に活用するためには、並んだ数字の表面だけを見るのではなく、さまざまな角度から見直してみることが必要です。データはとても雄弁であり、正直でもあります。

「この数字が意味することは何か？」

「ここに出てくるまでにどんな経緯があったのか？」

「そうなった要因は何が考えられるのか？」

「この数字とあの数字とは何か因果関係があるのではないか？」

私たち会計事務所の引き出しには、多くの会社の数字やビジネスモデルの特徴、経営者の個性や考え方など、たくさんのヒントがそろっています。そして、さまざまな角度から検証して、数字の奥にあるものを読み解きます。

ＤＸに強い会計事務所では、こうした特有の会計知識・ノウハウとデータを組み合わせることで会社を変革（トランスフォーメーション）する提案を行い、それに基づいてバックオフィスのデジタル化をサポートしていきます。

会計事務所が伝えたい「データの生かし方」

数字は嘘をつかない

では、具体的なデータの生かし方についてお伝えしていきましょう。

企業活動における数字について、最も簡単な言い方をすれば、「売上」と「経費」があり、その差額が「利益」になります。売上に関しては経営者もざっくりとつかんではいると思いますが、たとえば商品分類ごとの数字はどこまで細かく把握できているでしょうか?

私たちが知る限りは、数字を細分化したうえで、きちんと経営計画へと落とし込めている会社はなかなかありません。しかし実はこうした細かい分類が、非常に重要な意味を持っているのです。

ずらりと並んだ数字の奥に、経営者の方も気付かないような、お金や従業員に関する問題点や、そこで起きている出来事などを読み取ることができます。

たとえば、こんなことはないでしょうか。

「売上は順調です」

と報告を受けていたのに、いざ数字を見れば前期より大幅に下がっているという話です。

数字は嘘をつきません。経営を脅かすリスクの火種も垣間見ることができますし、これは決して見過ごすわけにはいきません。数字をデータ化して活用しない手はないでしょう。

中小企業なら〝スモールデータ〟

データを活用するというと、ビッグデータを思い浮かべる方もいると思います。

ビッグデータという言葉が登場してから随分経ちました。ＡＩ（人工知能）

の話題とセットで語られることが多く、ＡＩに機械学習、あるいはディープラーニングをさせるための大量のデータという意味でとらえられています。

商品生産の場では、ビッグデータをもとにしたＡＩによる生産計画によって無駄が減ったという話も聞きます。

しかし「ビッグデータを活用しよう」というのは、中小企業には話が大きすぎるかもしれません。技術やコストの問題もありますし、そもそもデータが集まりづらい。起業したばかりの会社では、数年分のデータしかありませんし、売上も大企業ほどではありませんから顧客傾向をつかむにもサンプルが少ない現状があります。

だからと言って、データ活用を諦める必要はありません。

中小企業には「スモールデータ」があれば十分です。

スモールデータとは、少ないデータの一つひとつを深掘りし活用していこうという、ビッグデータとは対照的な考え方です。ビッグデータが数百万以上のデータを扱う一方で、スモールデータは焦点を絞った数百程度を扱います。ですから、作業に要する時間・労力も少なくて済む分、中小企業には向いています。

実際、わざわざ数字で見るようなものはあまりないだろうと思っていても、会社の中にはいたるところにたくさんの種類の数字が混在しています。「塵《ちり》も積もれば山となる」と言うように、会社中からバックオフィスに集まってくるデータを見れば、使いでのあるものがこんなにたくさんあるのかと驚くでしょう。そして、自分の会社を誇らしくすら思うかもしれません。

用語

ディープラーニング

人間が介さず、コンピュータが大量のデータから自動的にその特徴を発見する技術で、深層学習とも呼ばれます。たとえば大手ＥＣサイトが閲覧・購買履歴のデータをもとに、その消費者が好みそうな商品の傾向を予測して「おすすめ」を提案してくるのも、この技術があるからと言えるでしょう。

データを整理する

バックオフィスのデジタル化で、ワンデータを作っていくと、従来よりもはるかに早く、数字が見られるようになります。成長意欲の高い経営者は、おそらくそれを加工した会計帳簿もすぐに閲覧したいと考えるでしょう。従来なら会計事務所に依頼していた仕事だと思いますが、デジタル化によって、自社の中で行うことができます。そして私たち、ＤＸをサポートする会計事務所ではこの「自計化」という方法を強く推奨しています。

自計化とは、領収書や請求書などの伝票の整理から記帳、仕訳入力などの経理事務をすべて自社で行うことです。社内でスピーディーに表計算や分析をするため、いま現在の経営状態や業績をタイムリーに把握することができます。そしてそれによって資金繰りや経営方針の決定がしやすくなります。

このように自計化した場合、会計事務所は従来行っていた仕事を手放すことになりますが、代わりに相談役に徹することができ、その方が会社にとってはメリットが大きいと考えています。

たとえば新しい設備を導入したいけれど資金繰りが心配なとき、経営者が現在の経営状況を正確につかんでいれば、会計事務所も質の高いコンサルティングがしやすくなります。

また、自計化で商品分類や経費の分類など、もっと詳細な情報を加えてより有効な分析データにすることが簡単にできるようになります。

こうしたデータを社内でリアルタイムに得られれば、先々の業績や経営状況の見通しが立ちやすくなり、経営方針の変更に伴う判断や対策も速やかに行えるでしょう。

バックオフィスのデジタル化、さらに経理の自計化ができれば、それによって会計事務所との連携はよりスムーズに、より強くなるでしょう。自社の経理担当者は基本的に自社の経理や財務のことしか知りませんが、会計事務所では同業他社を含めていろいろな会社の、いろいろなお金に関する対応を見ているので、多様なパターンや他社との共通項、重視すべきポイントなどをよく知っています。言い換えれば、経理・財務に関して広い視野を持っているという強みがあります。

また当然、その会計情報のみならず、業務の流れやビジネスモデル、そして経営の考え方なども十分理解できています。ですからバックオフィスから始まるＤＸについても、その会社にはどんな形が最適なのかを提案できます。

その会社の一番良い数字も悪い数字も含め、正しい数字を知っている第三者という点で相談相手に最も適している会計事務所は、ＤＸ推進に取り組む経営者にとって、一番近いパートナーになり得るでしょう。

データから予測する

バックオフィスをデジタル化し、自計化することによって、そのデータから将来を予測することができるようになります。

たとえば、キャッシュフローです。

資金需要がいつ発生するのかは頭の痛い問題です。特に中小企業では、納税資金は意外と見過ごされてしまうかもしれません。

「今期は赤字だから納税額は少ないな」と考えていたら、思いのほか利益が出ていて、納税額が膨らみ、資金が足りなくなる。そんな事態も起こります。税金の支払いは後からやってくるので、その分のお金は必ず手元に残しておかなければなりません。

しかし、たとえば通常は会計事務所から報告される報告書は、早くても２か月前のものです。月末に締めて、そこからデータをかき集め、翌月の中頃までに資料を渡し、会計事務所がまとめるといったプロセスを経るためです。すると、この報告書だけを頼りにしているのでは心もとないものがあります。そこで会社の中で、数字をデータ化し、タイムラグを圧倒的に減らすことで、資金需要をつかめるようにします。

確実に利益が出ると予測できていれば、その利益分を会社にとって有意義な投資の費用に回したり、社員の福利厚生費などに当てたりすることもできます。ところが期末までちゃんと数字が整理できていないと、そうしたメリットになる対策が打てずに終わってしまい、結果的に思っていたより多めの税金を払うだけということになりかねません。

また、商品ごとの売上も、きちんと把握できていないと損失につながる可能性があります。

すでに需要が終わってしまった古い商品にも関わらず、今まで売れ筋だったからと作り続けたために余剰在庫になってしまう。そういったケースも起こります。リアルタイム性に乏しいために、商品・サービスを供給するリズムが、市場のリズムとズレてしまうのです。

トヨタ自動車は「ジャストインタイム」を取り、各工程に必要な物を、必要なときに、必要な量だけ供給することで在庫を徹底的に減らし、ロスを極力なくして生産活動を行っています。「うちはとてもトヨタの真似なんてできない」と思うかも知れませんが、データ化して、リアルタイム性を高めていけば、市場のリズムと合わせた商品・サービスの供給も可能になってきます。

あるいは、データから売上アップを図れるような新しい商品・サービスのヒントも見つかることでしょう。

データ無しでは、「例年この月は忙しいから」とか、「この季節にこの商品がよく出ているから」といった単純な季節指数や、根拠のない大雑把な予測などに頼らざるを得ません。

データを組み合わせる

さらにデータは組み合わせることで力を発揮します。

先述のとおり、売上ばかりを把握して、経費を把握していないケースは少なくありません。売上と経費を組み合わせてみれば、利益の実態がよく分かります。

たとえば、受注金額ありきで業務をスタートさせる場合はないでしょうか。建設業や製造業などでは特に多いと思います。

本来は材料費、人件費、管理費など、それぞれの原価を積み上げて経費とし、利益はいくらか検討したうえで見積書を作るはずです。ところが、そうした計算をおろそかにして「これくらいならＯＫ」と経営者の勘で決めてしまうケースです。

その結果、「高額受注のビッグプロジェクトです」と言いながらも、実はほとんど利益が出なかったという事態に陥ることがあり得ます。１０００万円の案件が１２００万円の経費が掛かっていたことに、後から気付いても取返しがつきません。

データを活用することによって、こうした内情が、より早く正確に分かってきます。

そして、さらにデータを見ていくと、本当の原因は人件費が掛かりすぎていたことが分かるかもしれません。そもそも売上原価としての人件費は出しづらいものです。業種ごとでの労働分配率などを根拠に、人件費を計算していることもありますが、自社の実態に合っているかどうかは疑問です。人件費はより自社に合った数字に調整したうえで売上原価として見積もるべきでしょう。

ＤＸを進めていくと、その作業に掛かる時間をデータ化することも可能ですから、この時間を見積もる根拠にして人件費がいくらになるのかを算出できます。

さらには、個々の従業員ごとの生産性の把握も可能になってきます。

会社全体の売上や経費を数字で見るだけでは、個人レベルでの売上や経費までは分かりません。ですが、そこに会計とは関係ない業務履歴などのデータを組み合わせることで、一人当たりの生産性が見えてきます。小売業ならＰＯＳ情報を合わせて見れば、誰がどれをどのくらい売ったのかということまで分析できるでしょう。すると、個々の適性を今までよりも理解したうえでの人材配置も考えられます。

データは、ただ単に個別案件の収益性を見て「ほら見たことか、勘で押し進めたせいだ！」と責め立てる材料に使うものではありません。そこから、次の対策を取るための貴重な材料になり得るのです。

データを掛け合わせる

さらに、2つ以上のデータを掛け合わせて生かすという視点から、私たち会計事務所が行うアドバイスの一例を挙げてみます。

とある営業代行会社が「年間1億円の売上を1億5千万円にする」という目標を掲げました。1・5倍ですから、かなりがんばらなくてはならない目標です。

売上を分解して、式にしてみます。

売上　＝　受注件数　×　案件単価

案件単価は変えづらいため、売上を上げるためには受注件数を増やさなくてはなりません。受注件数を分解すると「商談数×受注率」になります。たくさん商談を行い、その中から確実に受注してもらえば当然、売上は上がります。式にすると、以下です。

売上　＝　商談数　×　受注率　×　案件単価

さらに、商談の手前には提案があります。提案が通れば商談の機会を得られます。これも分解して式にしてみます。

売上　＝　提案数　×　商談化率　×　受注率　×　案件単価

すると、たくさん提案して、たくさん商談に結び付け、受注を取れば売上につながると考えられます。

ところが、提案数を上げれば良いのだとばかり考えると、あまり期待できない見込み客に対しても提案を出すようになります。そうすると商談にはなかなか結びつきづらいですし、そこに時間を取られて、他の業務がひっ迫してしまいます。従業員の疲労度も増し、パフォーマンスは落ち、売上増どころか減ってしまう可能性すらあります。

先ほどの式を見れば、売上を上げるには提案数を増やすだけが方法でないことはよく分かるはずです。商談化率を上げたって良いのです。確度の高い見込み客に効率よく提案をすれば商談数も増えていくことが期待できます。すると、商談化率の目標をＫＰＩ（重要業績評価指標）として立てる必要があります。ですが、商談化率は、請求書や決算書には表れてこない数字です。普段から、これをデータ化しておく必要があると考えられますし、そうすれば目標達成の可能性を推し量ることだって可能です。

財務ではない、これらのデータも見るということが、売上につながることがお分かりいただけると思います。

COLUMN

カスタマージャーニーをデータで裏取り

ビジネスモデルやサービスの変革にはお客様のニーズを把握するところから始める必要があります。そして、そのニーズがどのように購買に結びつくのか、把握し、手を打たなければなりません。

一例としては、カスタマージャーニーマップを描くという手法があります。お客様が商品やサービスを買うまで、どのような心理や行動を踏んでいくのか、一つずつ書き表していくのです。時系列で追う方法もありますし、店舗を持った業態なら、店舗にたどり着くまでのお客様の歩き方を書き出しても良いでしょう。すると、どこでお客様が離れているのか俯瞰できます。しかし、そこで終わっては、勘で戦略を立てているのと、あまり差はありません。

その仮説が正しいかを検討するための判断材料がデータなのです。数値として見ると、課題だと思っていた部分が実は他社よりも優位性を持った武器であることが分かるかもしれません。経済産業省によるDXの定義には「顧客や社会のニーズを基に」、ビジネスモデルやサービスを変革していくことがうたわれています。DX実現のためにも、データを分析するという活動をぜひ始めてみてください。

（税理士法人中山会計　小嶋 純一）

3

会計事務所と共に進める最大の強み

経営目標を共有する

データは溜めることが目的ではありません。使ってこそ生きてきます。

しかし、自社だけで仮説を立てて進むのは「もし間違っていたらどうしよう……」という不安や疑念を拭えません。そこで経営者のすぐ近くにいながら、会社全体を俯瞰できる中立的な第三者である会計事務所の〝鳥の目〟はお役に立つことでしょう。

バックオフィスのデジタル化に強いことは、会計事務所をＤＸのパートナーとして選んでいただく要素の一つです。しかし、何よりも将来のビジョンを共有できるということが最大のメリットだと考えています。

今ある課題を解決することはもちろん大事ですが、将来のビジョンから逆算して、今後の筋道を立てることもそれと同じくらい重要です。会社を存続させるため、どんなに厳しい状況でも、短期的解決策と中長期的戦略の両立は常に念頭に置いておかなくてはなりません。

ＤＸは、デジタルツールを導入して「おしまい」ではなく、改善を続けながらビジョンを実現していく、息の長い取り組みでもあるのです。

ＰＤＣＡを共に回す

ですから、ＰＤＣＡを回し続ける必要があります。

業務管理における継続的な改善手法としてよく知られているＰＤＣＡは、「Ｐ：計画→Ｄ：実行→Ｃ：検証→Ａ：改善」の４工程を繰り返します。ただし、実行まではするものの、やりっぱなしということはよくあります。なぜなら検証の基準がないか、あっても非常に曖昧なものだからです。ここで検証しやすくするためにも、デジタル化は有効です。

きちんとしたチェックをするには、正確なデータが必要です。それもなるべく早く改善を進めるために、素早いデータ化も求められます。

特に新規事業を始めた際は、それがうまくいっているのかどうかを冷静に判断しなければなりません。いくらお客様の反響が大きく、社内で熱く盛り上がっていたとしても、それだけでは全容が見えません。売上・原価・利益率などをデータにして客観的に見て初めて検証ができるのです。

赤字事業でも、ブランディングや社会的なアピールのためなど、会社内の位置付けや経営戦略の目的によっては継続すべきものもあります。それを決めるのは経営者ですが、少なくとも現状は知っておかなくてはなりません。

さらに、A：改善もPDCAでは見落とされがちです。これは検証がうまくいっていないため、その後の改善まで頭が回っていないことも原因です。デジタル化によってデータで検証できるようになれば、現状の数字をここまで引き上げるといった改善策の検討までたどり着くことができます。

データを見たうえで、その事業をそのまま続けるべきか、何らかのテコ入れをするべきか、もしくはコストパフォーマンスが悪いので諦めて打ち切るべきか、そうだとすればどのタイミングですればいいのか――といった検討をしなくてはなりません。

こうした検証・改善についても、会計事務所には豊富なノウハウがあります。そもそも財務について月次の報告書を作って経営者と話すことは、客観的な数字の突合せとそれについての対応という点で、検証・改善に他なりません。

それまでは、あくまで財務面の話だけで終わっていたことが、バックオフィスのデジタル化によりワンデータが作り上げられることで、一歩先の検証・改善も検討できます。

ＰＤＣＡを回し続けることとは、ときに疲れてしまうこともあるでしょう。ですが、誰かと一緒にやっていると頑張れるものです。何より、目標を達成したときの喜びは倍増します。私たち会計事務所にとっても、会社が成長してビジョンを形にしていく姿を見ることは何より嬉しいことなのです。

ＤＸと会計事務所

こうして、さまざまな会社とＤＸを進めながら、当然ながら私たち会計事務所業界でも、多くの事務所がみずからＤＸに取り組んできました。「医者の不養生にならないように」という話ではありません。むしろ、当人意識をもって積極的に取り組まなければいけないという危機感を抱えているのです。

会計業界は、これまでの伝統や常識を重んじる古い業界です。何十年にもわたって法人税・所得税の申告業務や、会社の経理部門の業務を生業としてきました。さすがに今もそろばんを使っているという事務所はないと思いますが、電卓だけで書類を作っているところがあっても不思議ではありません。各種の書類は紙を介してやり取りをし、保管をする文化が根強いことも事実です。非効率的な業務は、他の多くの日本の中小企業以上にたくさんありました。

つまり、ＤＸを進めるべき業界という意味で、実は私たちも同じなのです。本来であれば、あれこれ指南できる立場では決してありません。

しかし、だからこそ先駆的な会計事務所では、この大きな課題に取り組み、改善しようと進めてきた経緯があります。そして今、新しい姿に脱皮した会計事務所が全国各地で生まれ始めています。

業務柄、会計ソフトについては、使い勝手の良さという恩恵には誰よりも預かっている立場であり、ユーザー目線の適切なアドバイスができる自信があります。紙の使用という点で、効率化のために積極的にペーパーレスを実現する、データの保管体制を強固にする、といった取り組みを行っている事務所もあります。

さらに、多くの会社の業務の流れを把握し、データを活用するという視点では、一日の長がありますから、ちらばった数字を会社ごとに柔軟に調整して、ワンデータにしてメリットを最大化させることもできるのです。

寄り添えるパートナーと5年後を見る

私たち会計事務所は、自ら事務所内で進めてきたＤＸ体験のノウハウを惜しむことなく注ぎ、経営者の方々に寄り添うパートナーとして新しい企業文化の構築に貢献したいと考えています。

まずはデジタル化とかDXといった言葉にひるまないでください。実践において何よりも大事なのは、変化する環境に対応できるだけの柔軟性を持つことです。２０２０年に経済産業省が発表した「DXレポート２」では従来から続く、柔軟性に乏しい企業文化を「レガシー企業文化」と名付け、DXによってレガシー企業文化を変革することが重要だと示していました。

コロナ禍が終われば社会はすべて元に戻ると思っていた人も、２０２１年前半の社会情勢からどうもそうではない、戻らない部分もありそうだと気付いているのではないでしょうか。

毎日の生活において消費者は、インターネット通販・飲食の宅配などにすっかり慣れてしまいました。これらオンラインを使った購買行動は、いわゆるニューノーマル（新しい生活様式）として定着していくでしょう。

仕事における会議や打ち合わせなどは、もちろんリアルで行う良さはあるものの、多くはこのままオンラインに置き換わり、在宅勤務も増えるでしょう。

これらはほんの一例ですが、ＩＴ社会は今後ますます進化していくことは間違いありません。そして、企業のより迅速で、より的確な対応が求められることは今さら言うまでもありません。

第1章で述べたように政府も焦っています。２０２５年前後、つまりほんの数年後には日本のビジネス環境も大きく様変わりしているはずです。そのときに、あなたの会社がより生き生きと活躍していられるように、今から手を打っていく必要があります。

次章では、中小企業がバックオフィスのデジタル化から、いかにＤＸを進めていったのかを具体的な事例で紐解きます。デジタルツールをどのように導入し、定着させていき、効果を上げたのかが分かることでしょう。

テクノロジーは日々進歩し、今日も会社の事業に影響を与え続けています。そんな中、自分の会社が5年後にどうなっているのか想像していきましょう。バックオフィスに目を向ければ、そこに一つの答えが見つかるはずです。

COLUMN

激安ツールはなぜ安い？見落とせない変動コスト

デジタルツールを入れるときに気になるのがコストでしょう。「いったいいくら掛かるのか」。調べても分かりづらいこともあると思います。見比べていると、ひときわ安いものもあったりして目を引きます。当然、安さには理由があるはずです。

たとえばツールで請求書作成は無料と書かれているけれど、実際は月に５枚までといったこともあります。この場合、月に何百枚も請求書を発行するような会社では導入コストよりもランニングコストを見極めなければなりません。会社の実態に合わせて判断したいところです。

また費用体系がアカウント数により増えていくツールもあります。はじめは１アカウントで十分だと思っていたけれど、会社の成長に合わせて、２、３……と増やしたくなることも考えられます。

その場合、担当スタッフが増える都度、ツールを買いそろえれば結局コストがかさむことも。成長速度を考えたら、あらかじめ５アカウント・パックといったものを導入したほうがお得なことはあり得ます。会社は成長するもの。「損して得とる」ことも視野に入れて検討しましょう。

（日本みらい税理士法人　山本 藤郎）

DX from Back Office

第4章

バックオフィスのデジタル化を進めよう

DX from Back Office

1

経理退職！危機乗り越え、未来志向に進化できた理由

請求1400件を台帳管理＋手書き

株式会社リバーサルコンセプションは、2008年設立、東京都新宿区で広告代理店を営む社員数20数名の会社です。メインの顧客は通信キャリアで、売上の約8割を占めています。大手通信会社の広告制作からコンサルティング業務まで、通信業界における多くの実績があり、他の店舗での広告の事例や、ターゲットに合わせた効果的な方法・媒体を提案できるのが強み。広告制作事業のほか、集客・販促イベントの企画、Webサイトの構築、キャリアショップ向けの研修、人材派遣も行っています。

しかし同社のバックオフィス業務は、設立時からほぼ手作業で行われて

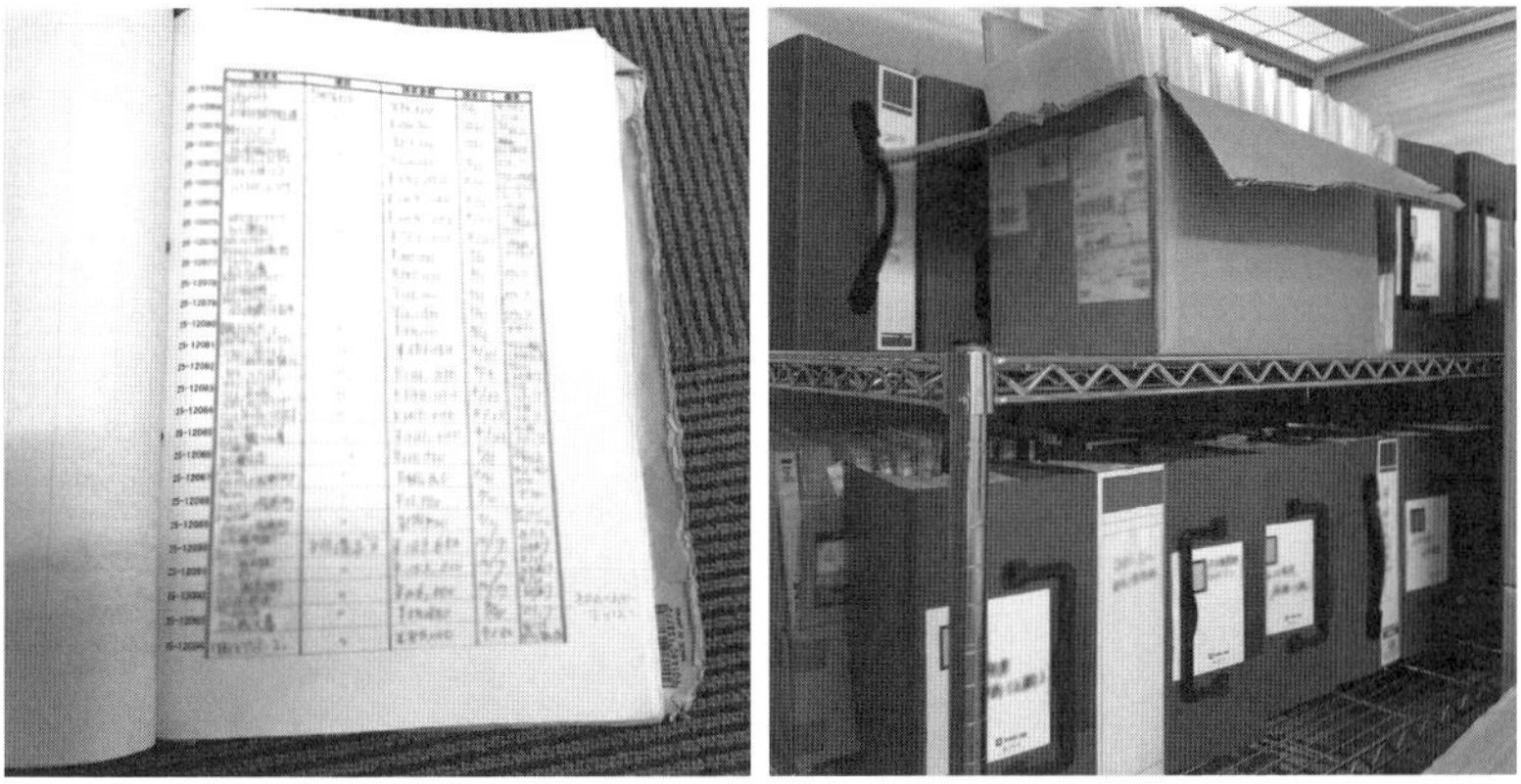

手書きだった当時の請求台帳とファイル

きました。たとえば請求書発行は、各営業担当がまず台帳に請求書番号、請求先、請求額などを記入した後、手書きで請求書を作成します。請求件数は年間約１４００件。請求業務が集中する月末には、台帳の取り合いです。請求書番号や相手の名前を間違えたり、請求額の「０」が１つ多かったりと、ミスも度々発生していました。

入金の消込は、経理担当者が台帳からエクセルシートに手入力してから、入金と１件１件突き合わせます。１４００件もあれば入力ミスは発生しますし、合わない請求があると、どの段階で間違ったのか追いかけるのも大変。どうしても社内では分からず、「この入金、何ですか」と顧客に電話で問い合わせることもありました。

さらに困ったことに、経理担当者が家庭の事情で突然退職することになりました。記帳は会計事務所に委託し、ある程度引き継ぎも行いましたが、ブラックボックス化されていたことも多く、バックオフィス業務は滞りがちになってしまいました。請求と入金が合わず、2か月も遅れてお客様に確認したこともあると言います。このままでは、顧客の信頼を失いかねない状態でした。

システム想定し業務フロー刷新

社長を中心に何とか持ちこたえてきましたが、経理担当者の退職から3か月後、「これではいけない」とバックオフィスの業務フローの見直しに踏み切りました。新たに担当することになったのは管理課　課長の大西博氏です。同氏は新卒で入社して以来、ずっと営業に携わってきたため、経理の知識はありません。「自分やチームの売上や原価、自分の仕事の進捗は気にしていましたが、バックオフィスの業務フローについて考えたことはありませんでした」と大西氏は言います。

会計事務所のサポートを受けながら業務フローの再構築に取り組む中で紹介されたのは、ｆｒｅｅｅ株式会社の「会計《かいけい》ｆｒｅｅｅ《フリー》」です。新たな業務フローは、ｆｒｅｅｅでの運用をイメージしながら再構築されることになりました。

ｆｒｅｅｅはバックオフィス全体を対象とした、統合型のクラウドサービスです。バックオフィスの各業務が連動しており、経理の知識に乏しい人でも使えるよう、ユーザーインターフェースが工夫されています。クラウドのため、会計事務所と随時共有することができ、在宅勤務になってもそのまま業務を続けられます。

広告制作業務の様子

リバーサルコンセプションが導入したのは、会計ｆｒｅｅの「ベーシックプラン」。記帳機能、決算書作成、見積・請求・納品書作成、入金・支払管理、経費精算、ネットバンクへの振込が連動し、中小企業でも使えるＥＲＰ（Ｅｎｔｅｒｐｒｉｓｅ Ｒｅｓｏｕｒｃｅｓ Ｐｌａｎｎｉｎｇ）として多く採用されています。連動する業務は自動化されるのでミスも発生しません。たとえば請求書を発行すると同時に売掛金の仕訳が会計に反映され、実際の入金があるとネットバンクから取り込んだ明細情報をもとに売掛金の消込も自動的に反映されます。

簡単にできる！パッと出てくる！

業務フローの刷新に取り組むこと4か月。いよいよｆｒｅｅが導入されました。最初の印象について大西氏は「それまでの運用に課題は多々ありましたが、台帳ベースのやり方に慣れてしまっていたので、最初は管理しづらいと思いました。でもｆｒｅｅがシステム的にサポートしてくれるため、経理の専門知識がない私でも使いやすかったと思います」と話します。

大西氏は、ｆｒｅｅｅのサポート窓口や会計事務所の支援を受けながら、積極的に操作して覚えました。請求書発行等でｆｒｅｅｅを使用する他の営業担当にも伝えていきました。「ｆｒｅｅｅの導入に関しては反発もなく、すんなり受け入れられました。事前に問題と理想像を共有し、現状の打開策として導入することを説明していましたし、ｆｒｅｅｅを中心に業務フローを構築できたことが良かったと思っています」と大西氏は説明します。

その先には、感動と驚きが待っていました。「今まで苦労していた請求と入

用語　ＥＲＰ（イーアールピー）

Ｅｎｔｅｒｐｒｉｓｅ Ｒｅｓｏｕｒｃｅｓ Ｐｌａｎｎｉｎｇ（企業資源計画）の略。企業内にあるあらゆる資源（ヒト、モノ、カネ、情報）を経営に生かすという考え方です。会計、人事、給与、生産、販売など、これまでそれぞれの部署ごとに行われてきた管理を一元化、統合化することで実現します。そのためには、デジタル化、システム化は必須。ＥＲＰを実現するシステムのことを、ＥＲＰと呼ぶ場合もあります。

金の紐付けが簡単にできる。こんなにぴったりと収まる感覚は経験したことはありませんでした。すごく感動しました。会社の状況を知るために見たい数字も、数回クリックするだけでパッと出てきます。これはすごい！と思いました」と大西氏。気がつくと、ｆｒｅｅの操作を通じて、会計の知識も自然と身についていました。

今では請求件数は約１０００件増え、２４００件ほど。にもかかわらず、請求業務の時間は大きく削減されました。入金について問い合わせをすることもありません。営業も顧客のフォローにより多くの時間をかけられるようになっています。

リバーサルコンセプションでは、請求業務から徐々に経費精算など周辺業務もｆｒｅｅに移行しました。現在は会計ｆｒｅｅと連携する「人事労務ｆｒｅｅ」も導入し、勤怠管理、給与計算、年末調整、入退社手続きなども効率化しています。

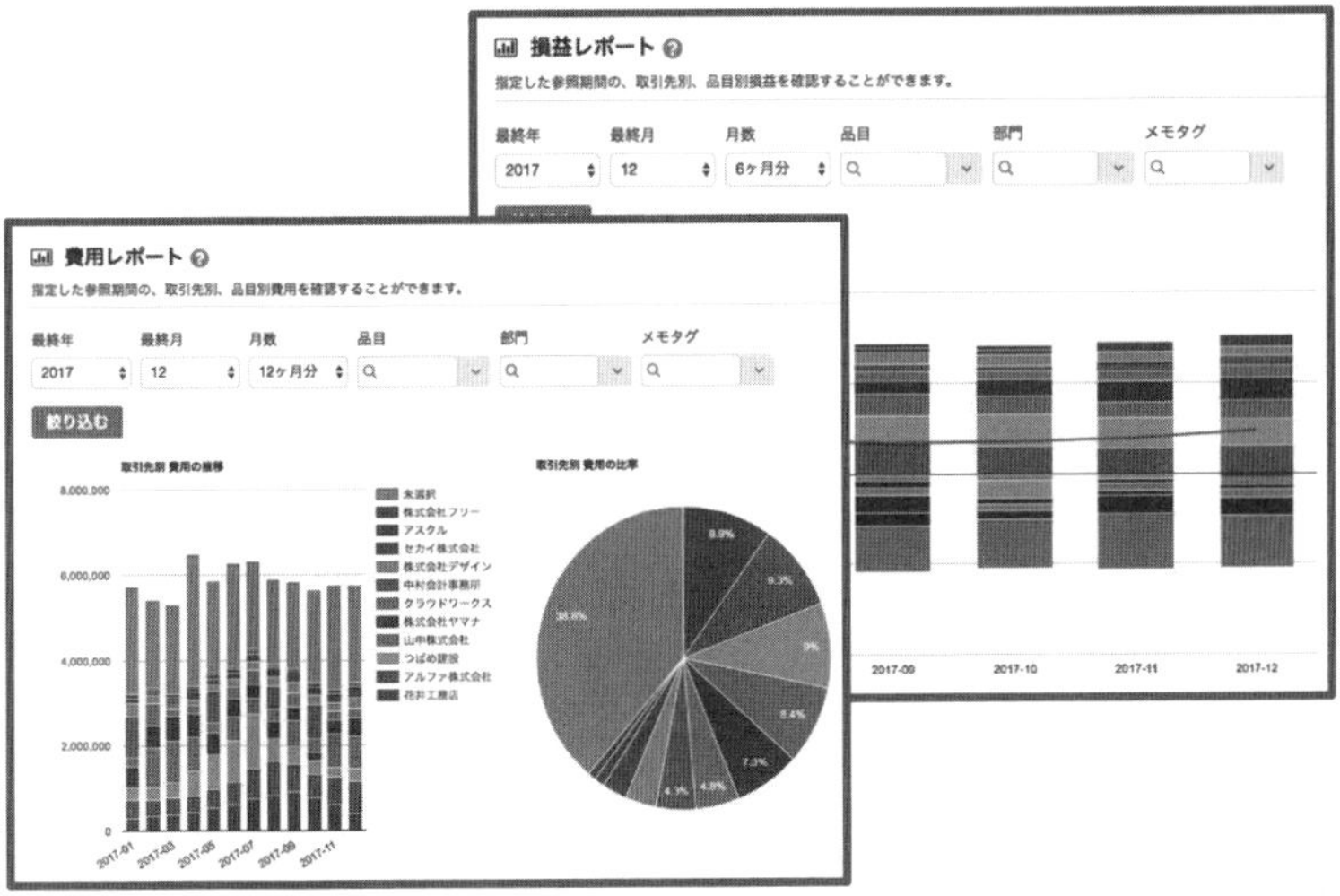

レポートが自動作成される

未来を向いた経営へ

ｆｒｅｅの導入によって起こった最も大きな変化は、会計情報の活用の仕方です。

導入前は、当月末に締めてから、資料一式を会計事務所に送付できるのは翌月10日頃。それから会計事務所が記帳などの処理を行い、終了するのは20日頃。月次決算を知るのはどうしても翌月末近くになっていました。決算に基づいて行っている月次相談の場でも、話題は数字の確認が中心。たとえば「原価率はある程度一定のはずなのに、今月は大きく違う。売上か原価が間違っているのではないか」という具合で、1か月前の数字の見直しに費やしていたのです。

これがｆｒｅｅｅを導入したことで180度変わりました。

大西氏も話していたとおり、ｆｒｅｅｅでは簡単な操作で今の数字を見ることができます。締めを待たずに当月の進捗がある程度分かるため、以前より約1か月前倒しで状況を把握できることになります。月次相談でも過去の数字の確認は、もう必要ありません。当月中に当月の反省を踏まえて、原因や理想とのギャップ、来月の対処方法など、今後に向けた経営の話ができるようになったのです。

「顧客の信頼を得るには仕事の質はもちろん大切ですが、お金関連がしっかりしていることも大事だと思います。もしｆｒｅｅｅがなかったら、経理業務が回らないだけでなく、顧客の信頼も失って、会社が傾いていたかもしれません。かつての手作業を思い出すと、なぜあんなことをしていたのかと思うくらいです」と大西氏。リバーサルコンセプションは、経理担当者退職という危機を乗り越え、未来を向いた経営ができる会社に進化したのです。

バックオフィスの課題に総合的に対応

２０１２年設立のｆｒｅｅｅ株式会社は、２０１３年に会計ｆｒｅｅｅをリリース。その後、機能拡張、プランの増設により、対象となる企業規模の範囲を拡大してきました。現在では、創業したばかりの企業に適したプランから、管理会計やワークフロー、内部統制もカバーした上場企業が使用できるプランまで用意されています。企業の成長に合わせてプランを切り替えることが可能で、企業規模に適した機能で運用することができます。

リバーサルコンセプションでも使用している人事労務ｆｒｅｅｅも、同様に各種プランが設定されています。会計ｆｒｅｅｅとも連動し、給与明細を作成すると会計ｆｒｅｅｅ上での勘定科目の割り当て、仕訳まで自動で完了します。

ｆｒｅｅｅアドバイザー事業部　東日本パートナーサクセスチーム　マ

ネージャーの坂田佑馬氏は「きっかけはリバーサルコンセプション様のように経理担当者の退職や、昨今では在宅勤務への対応などそれぞれですが、バックオフィスの困りごとは会計だけではありません。ｆｒｅｅは、さまざまなバックオフィスの課題に総合的に対応できるという点で、お選びいただくことが多いのではないかと思います」と話します。

月次の決算や独自の集計を行うのも簡単なため、会社の状態をタイムリーに確認したいと考える経営者が選ぶケースも多いそうです。

自動化を最大限活用するコツ

ｆｒｅｅの最大の特徴は、自動化です。バックオフィスの各業務間で、通常は転記したり、データを読み込んだりして対応していることが自動化されるため、作業負荷の大きな軽減が期待できます。そのためには、ｆｒｅｅで提供されている手順に沿って業務フローを組み替えることが運用のコツです。会社独自のやり方を残しておくと十分な自動化ができず、効率化を妨げ

自動仕訳の画面例

るボトルネックとなってしまうからです。

坂田氏は「たとえばｆｒｅｅｅを導入いただくと、銀行明細をもとに自動的に仕訳が作成されたり、登録した債務の情報をもとに支払い業務の合理化も可能になります。しかしネットバンクを使っていなければ、これらの機能はご利用いただけません。また従来の業務フローをまったく変えずにｆｒｅｅｅを導入すると、どうしても手作業が残ってしまい、十分な効果を実感いただけないと思います」と説明します。実際、銀行関連の業務は手作業で行い、仕訳も手入力していたというもったいない使い方や、業務フローの変更に対して経理担当者の強い反対があり、導入を諦めてしまう例もあると言います。

業務フローの変更には勇気がいるでしょう。導入当初はシステムに必要な基本情報の登録・設定などが面倒に感じるかもしれません。でも、それさえできてしまえば自動化を最大限活用し、バックオフィスの業務負荷や人為的なミスを総合的に削減できます。そればかりか、リバーサルコンセプションのように、迅速な経営判断や未来を見た経営を実現できるのです。

メインターゲットは中小企業
やりたいことに力を注げるように

ｆｒｅｅｅは、統合型、かつクラウドによって、中小企業でもバックオフィスの自動化を実現し、経営者の意思決定を支援する環境を提供しています。ユーザーからの要望を受け、機能向上等が迅速なサイクルで行われていることでも定評があります。ユーザーと一緒に成長しているサービスとも言えるでしょう。

２０２１年３月末時点の有料課金ユーザー企業数（個人事業者を含む）は、28万超。紹介した会計ｆｒｅｅｅ、人事労務ｆｒｅｅｅの他、会社設立に必要な書類を５分で作成できる「会社設立ｆｒｅｅｅ」、個人事業の開業手続きが質問に答えるだけでできる「開業ｆｒｅｅｅ」といった無料のサービスも提供しています。

ｆｒｅｅｅは「スモールビジネスを、世界の主役に。」をミッションに掲げ、「アイデアやパッションやスキルがあればだれでも、ビジネスを強くスマートに育てられるプラットフォーム」の実現を目指しています。

メインターゲットは、これまでも、これからも中小企業。人数が少ない会社では、バックオフィス業務に追われて、事業として注力したいことに当てる時間が圧迫されてしまいます。

良い仕組みを提供することで、本当にやりたいことに力を注いでほしい……というのがｆｒｅｅｅの思いなのです。

DX from Back Office

2

直感的操作でバックオフィスを一元管理。経営判断にも効果大

障害のあるアーティストをパートナーとする事業

自らを「福祉実験ユニット」と称する株式会社ヘラルボニーは、障害のあるアーティストが描いたアート作品を核に、ユニークなビジネスを展開しています。アートに特化している福祉施設とアートライセンス契約を結び、撮影やスキャンによって作品をデータ化し、活用したい企業に提供するというビジネスモデルです。

ヘラルボニーが契約している福祉施設は、国内30か所以上、国外にも米国ボストンに1か所。各施設に所属するアーティストが表現する個性に溢れた作品は、絵画としてだけでなく、空間演出やパッケージデザイン、衣類や雑

「異彩を、放て。」がヘラルボニーのミッション

貨などに活用されています。ヘラルボニー自身も、デザイン性の高いオリジナルブランド製品を企画し、販売しています。

同社のビジネスの根底にあるのは、「障害者＝かわいそう」というイメージに対する強い疑問です。代表を務める双子の兄弟の４歳上の兄は、知的障害を伴う先天性の自閉症。「自分たちとまったく同じ感情を抱いているのに、なぜかわいそうなのか」と、幼い頃から疑問を感じていた両代表は、障害という「特性」のあるアーティストをビジネスパートナーとする事業を立ち上げたのです。

「ヘラルボニー」という社名も、兄が7歳の頃に自由帳に記した、世の中には存在しない言葉です。この社名には「一見意味がないと思われる思いを、企画して世の中に価値として創出したい」という意味が込められています。

投資を受けるには財務会計の体制整備が必要

ヘラルボニーは、2015年から準備に着手し、2018年に設立。最初の半年は、企業に提案しても「素敵だね」と言われるだけで採用にはいたらず、苦労したと言います。

その後、軌道に乗り始めると社員も徐々に増えてきましたが、バックオフィスの担当者はいませんでした。そのため、財務会計に関することは税理士に全部お任せ。月締めはなく、年1回の決算だけ。税理士とのやり取りのためにツールは導入したものの、社員は請求書の発行に使っているだけでした。

転機が訪れたのは、事業が安定し、取り扱う作品も増えた2期目の終わり頃。投資家から投資を受けることが決まりました。投資家との間では、毎月、試算表を共有することが必須で、年1回の決算だけというわけにはいきません。財務会計の体制を整えなければならなくなりました。

バックオフィス業務を連携、一元管理できる

そこで税理士の勧めで導入したのが、株式会社マネーフォワードの「マネーフォワード クラウド」です。

マネーフォワード クラウドは、バックオフィス向けのクラウドサービス。会計を中心に、請求書作成、経費精算などの財務会計領域、また人事労務領域を連携、自動化し、バックオフィス業務を一元管理、効率化できるサービス群です。

クラウドサービスなので、オフィスのパソコンにソフトウェアをインストールすることなく、パソコンやスマートフォンでどこからでも使用できます。財務会計処理だけでなく、キャッシュフローレポートや財務指標などの帳票も自動的に作成され、いつでも確認が可能です。法令改正や消費税変更等へ

	2020/04	2020/05	2020/06	2020/07	2020/08	2020/09	2020/10
■現預金期中増減額							
現預金期首残高	8,266,687	11,439,517	13,230,642	16,000,881	18,638,667	21,758,625	24,100,632
入金額（増加額）	13,667,852	14,678,694	12,751,828	12,751,341	14,766,442	18,257,272	12,757,670
出金額（減少額）	-10,495,022	-12,887,569	-9,981,589	-10,113,555	-11,646,484	-15,915,265	-9,967,721
増減額	3,172,830	1,791,125	2,770,239	2,637,786	3,119,958	2,342,007	2,789,949
現預金期末残高	11,439,517	13,230,642	16,000,881	18,638,667	21,758,625	24,100,632	26,890,581
■営業キャッシュフロー							

会計レポート画面

の対応、また機能強化も随時行われ、月々の定額料金の中で常に最新のサービスを使うことができます。

データもクラウドに保存されるので、税理士などとのデータのやり取りや情報共有もスムーズです。パソコンの故障や入れ替えなどでデータが消えたり、再設定が必要になったりすることもありません。

ヘラルボニーの設立前から参画しており、マネーフォワード クラウドの導入に携わった

ヘラルボニー　オペレーションディレクターの大田雄之介氏は「バックオフィス業務を一元管理できるのが魅力」と言います。導入後は、まず請求書発行からスタートしましたが、約１か月で、会計、給与計算、経費精算まで実業務で使えるようになりました。「当社にはＩＴ担当者はいませんが、マニュアルが不要なほど直感的に操作でき、日々の業務で迷うことはほとんどありませんでした」と大田氏は話します。

経営の意思決定に大いに役立つ

マネーフォワード クラウドによって、情報が一元管理でき、バックオフィスの体制が整備されたヘラルボニー。懸案だった月末の締めもでき、投資家とも試算表を共有できるようになりました。「ちょっとしたことが楽にできるのも意外と助かる」と大田氏が言うように、たとえば何10通もの請求書発行や、過去の実績の検索などもストレスなくできます。

「特に当社のように小さい会社は、バックオフィスに多くのコストを割けないのが実情です。でもシステムに少し投資することで、バックオフィス業務の改善は可能です」と大田氏。今後は、マネーフォワードが提供している人事労務関連のサービスも活用していきたいと考えています。

一元管理が実現し、会社の状況が可視化されたことによる最も大きな効果は、経営面です。「年間計画に対する進捗を確認したり、お金や人といったリソースの配分を検討したりと、経営の意思決定にものすごく役立っています」と大田氏は話します。

現在ヘラルボニーは、社員10名。２０２1年4月、日本全国の障害のあるアーティストの才能を披露する拠点として「ＨＥＲＡＬＢＯＮＹ《ヘラルボニー》　ＧＡＬＬＥＲＹ《ギャラリー》」をオープンしました。原画の展示・販売を通じて、彼らが描くアートの価値を高めること、「障害」という負のイメージの変容を体現することを目指しています。また今後は、自社ブランドのインテリア事業を立ち上げる計画もあります。世界に向けて発信、提案するヘラルボニーの取り組みは、ますます広がりそうです。

HERALBONY GALLERY

中小企業にも使いやすい基幹システム

マネーフォワード クラウドを開発、販売している株式会社マネーフォワードは２０１２年設立。２０１３年のリリースの「マネーフォワード クラウド会計・確定申告」を皮切りに、請求書、経費精算、勤怠管理、給与計算・社会保険事務などと対応領域を拡張してきました。今もなお、バックオフィスを支援する新たなサービスをリリースしており、中小企業にも使いやすい基幹システムとして成長しています。

マネーフォワード クラウドのポイントの１つは網羅している業務範囲が広

いことです。大田氏が実践していたように、優先度の高い業務から使い始め、段階的に広げていくこともできます。

もう1つのポイントは、それらサービス間の情報の受け渡しが非常に容易なことです。

マネーフォワードビジネスカンパニー　事業推進本部　カスタマーサクセス横断戦略部　副部長の森田隆氏は「これまで別々に作業をし、転記やデータ変換を通じて会計情報に統合していたような業務を、直観的に連結することができます。転記が不要になることで、作業時間の短縮やミスの防止だけでなく、心理的な負担の軽減にもつながると思います」と説明します。デジタル化は進めていたものの、バラバラのシステムで手作業が多かった企業など、マネーフォワード　クラウドに乗り換えるケースが多いそうです。

会計事務所は心強い相談相手

一方で森田氏は「ツールを『万能ロボット』と思ってはいけない」とも言

います。実際、ツールやサービスを導入するだけで問題が解決することは、あまり多くありません。現状の業務フローがどうなっているか、課題は何か、どの業務をツールに差し替えていくのかなど、全体像を整理・把握して、計画的に導入することがポイントだと言うのです。

「マネーフォワード クラウドは、経理業務に関する基本的な知識や経験があれば、直感的に使っていただけるように設計していますが、導入してから効果を感じるまでにはタイムラグが生じることもあります。業務のやり方が変わるのですから、慣れるまでは負担が増えることもあります。軌道に乗り始めると効率化していきますから、目標を決め、計画的に導入していただくことをお勧めしています」（森田氏）。

加えて、バックオフィスのデジタル化について「心強い相談相手となるのは会計事務所です。経営者に一番近い専門家であり、業務フローも理解している。ＤＸを推進する影の立役者とも言えると思います」と森田氏は続けます。ヘラルボニーの大田氏も自らの経験から「会計事務所や税理士がシステムを理解しているかどうかは重要なポイント。財務会計の専門家に相談できると、システム導入も運用の移行もしやすいと思います」と語ります。

働き方を変えられる

このコロナ禍で、マネーフォワード クラウドの需要は高まっています。在宅勤務が推奨される一方で、出社しなければ仕事ができなかったバックオフィスの社員も在宅勤務が可能になり、その他の社員も経費精算や承認などのためだけに出社する必要がなくなるからです。

また、かつては企業で経理業務を担当していたものの、事情があって現場を離れたという方は少なくないでしょう。クラウドサービスによって自宅でも業務ができれば、財務会計に関する知識や経験を持つ貴重な人材に、復帰してもらうこともできます。

しかし「興味を持っていただけるのはとてもありがたいが、単純には喜べない。気が引き締まる思い」と森田氏。「ニーズが多いということを、責任を持って受け止めなければいけないと感じています。われわれは、今まで在宅

用語　SaaS（サース）

Software as a Service（サービスとしてのソフトウェア）の略です。従来、ソフトウェアは、パッケージを購入し、パソコンにインストールして使用するもので、バージョンアップやパソコン買い換えのたびに再インストールが必要でした。SaaSでは、ソフトウェアはサービス提供者のクラウド上で動いており、利用者はインターネット経由で機能だけを使用し、利用料を支払います。インストールも管理も不要で、どのパソコンやタブレットからでも使用可能です。

勤務は難しいと思われていたバックオフィスの方々の、働き方を変えることができるのです。ＤＸ推進の中核を担うくらいの気持ちで取り組んでいます」（森田氏）。

デジタル化やＤＸの文脈の中で、よく「ペーパーレス」が語られるように、これまでの紙をベースとした業務がデジタル化され、データを共有できれば、バックオフィスは大きく変わります。バックオフィスが変わると、働き方も変わるのです。

家計簿アプリも、企業の会計業務も
すべての人の「お金のプラットフォーム」に

「お金を前へ。人生をもっと前へ。」をミッションに掲げているマネーフォワード。最初にリリースしたのは、「マネーフォワード ＭＥ」という個人向けのお金の見える化サービスでした。これにより銀行等との連携を確立したこと、確定申告ができるサービスを要望する声が多かったことなどから、マネーフォワード クラウド会計・確定申告をリリースし、「すべての人の、『お金のプラットフォーム』になる。」というビジョンに向けて、サービスを拡大し続けています。

同社の調査・試算によると、クラウド会計ソフト満足度ナンバーワン（２０２０年７月）、継続率は99％（２０２０年１～６月）で、従業員数30名の企業で年間１４６万円のコスト削減が可能。手作業での入力が自動化されることにより、毎月の会計業務の時間は約２分の１になるというアンケート結果も公表されています。ユーザーからは「経営力が高まった」「いつでも財務状況を確認できて安心」といった声も寄せられています。

このような実績の背景には、会計事務所へヒアリングに行ったり、ユーザー座談会を開いたり、問い合わせ内容を分析したりという、地道なサービス改善の取り組みがあるのです。

会計のクラウド化から、紙の電子化、営業支援へ

会計ソフトは使っていたけれど……

１９７１年創業の真空企業株式会社は、産業用ブロワー・集塵機《しゅうじんき》の研究、開発、製造、販売を手掛ける総合メーカー。機械に組み込まれるタイプの製品が中心です。一般消費者が使用する家電ではないので、私たちが日常生活で意識することはほとんどありませんが、たとえば道路を掘削する機械にも、精密機器を製造する機械にも集塵機が組み込まれています。

創業以来、時代のニーズに合わせた製品を提供し続けており、ブロワー、集塵機としての性能はもちろん、機械メーカーの要望にきめ細かく対応できるノウハウも強みです。

真空企業株式会社の作業現場

同社の経理担当者は２名で、会計ソフトを使用して業務を行ってきました。経理を統括しているのは総務部　課長の志賀麻里氏です。志賀氏が業務に使用しているパソコンをサーバーとし、もう一人の担当者も志賀氏のパソコンにアクセスするという方法で、作業を分担したり、データを共有したりしていました。導入当初は非常に便利だと思っていた仕組みでしたが、徐々に課題も見えてきました。

まず経理業務を行うには、必ずサーバーのパソコンが起動されている必要があることです。志賀氏が休みをとる場合には、他の社員が起動や停止などの対応をしなければなりません。万が一サーバーにトラブルが発生すれば、経理業務は停止してしまいます。

また会計ソフトは、経理担当者２人のパソコンでしか使用できないため、社長や専務が売上の数字を見たり、過去の仕入れ情報を確認したりする必要があれば、経理担当者は業務を中断して席を明け渡さなければなりませんでした。

さらに、会計事務所とのデータのやりとりにも不便を感じていました。「データをＵＳＢメモリにコピーしてから会計事務所にお渡しして、訂正後には、またＵＳＢメモリでデータを受け取って当社のパソコンに取り込まなければなりません。手間が掛かりますし、タイムラグも発生していました」と志賀氏は話します。

テレワークはできる。でも紙が問題

２０１９年の中頃のこと、会計事務所から「クラウド発展会計」を紹介されました。

クラウド発展会計は、データはクラウドに置き、ソフトウェアは手元のパソコンにインストールするハイブリッド型。ソフトウェアの操作時に通信が発生しないため、軽快に操作できます。経理担当者のように、簿記の知識がある人なら直感的に分かる操作性で、拠点展開をしている企業に必要な機能も充実していることから、中小企業から大企業まで、また会計事務所などプロフェッショナルにも多く使われています。

会計事務所が真空企業にクラウド発展会計を紹介したのは、課題であるUSBメモリでのデータのやり取りが不要になること、志賀氏のパソコンが起動していなくてもアクセスできること、またパソコンが止まってしまうなどの事故が発生しても、データはクラウドにあるので安心であることなどから、適していると考えたからです。

こうして2019年9月、真空企業はクラウド発展会計を導入しました。

最初は思わぬ苦労もありました。会計ソフトには、毎月ある程度決まっている取引は、行のコピー&ペーストで簡単に入力できるという隠れたメリットもありますが「新しいソフトには前月データがないので、すべて入力しなければなりません。最初の1か月は大変でした。でもソフト自体は、若干の言い回しや用語の違い等はあるものの、簿記に沿った設計のため大きな戸惑いはありませんでした」と志賀氏は振り返ります。

クラウド発展会計を導入したおかげで、会計事務所とは常にデータを共有できるようになり、以前のようなタイムラグは皆無になりました。社長や専務が会計データを閲覧する際も、各自のパソコンからアクセスしてもらえるようになりました。

想定外の効果もありました。導入後の2020年に発生したコロナ禍で、真空企業でも出社人数を減らすための対応を余儀なくされましたが、クラウド発展会計のおかげで、経理担当者はすでにテレワークが可能な体制になっていたのです。

しかし、新たな問題が持ち上がりました。同社の伝票や書類はすべて紙。紙を見ながら会計データの入力を行っていたため「紙をどうするのか」ということが問題として浮き彫りになったのです。

そこで、今度は紙の電子化に着手することになりました。取引先との書類を一斉に変えることは難しいですが、まずは社内のできるところから取り組み始め、徐々に電子化された書類が増えてきています。

定型業務が多い経理を大幅に効率化できる

クラウド発展会計は、経理業務を効率化できる仕組みが多く提供されています。標準的な仕訳、会社独自の経理パターンは、あらかじめ辞書に登録（仕訳、取引先、摘要）しておけば、誰でも同じように入力できますし、会計事務所と同じ画面を見ながら操作や業務の指導を受けられるので、経理担当者も安心です。

ソフトウェアは自動的に最新の状態に更新されるため、バージョンアップ等の手間は掛かりません。データはクラウド上に保存されているので、バックアップも必要ありません。ソフトウェアをインストールしたパソコンさえあれば、いつでも、どこでも操作でき、真空企業のようにテレワークでも経理業務を行うことができます。

日本ビズアップ株式会社　営業部　次長の品田卓也氏は「経理は、仕事の

クラウド発展会計の画面例

80％以上が定型業務と言われています。定型業務は自動化、合理化しやすいので、ネットバンクの取引明細の取込、自動仕訳機能などを活用することで、大幅に効率化できます」と言います。

また、必要なメニューや項目だけに絞った画面を作成でき、権限の管理が柔軟にできるのも便利です。たとえば真空企業の社長や専務のように、経理上の数字を確認することが目的ならば、あえて入力系のメニューを持たない画面にしたり、必要な数字だけ見えるような画面を作成したりして、不要な操作やミスを防止することができます。複数の店舗を展開しているような企業ならば、日計表を作成して、各店長に日々の売り上げと経費を直接入力してもらえば、作業の負荷を分散できるうえに効率的でしょう。

初めて会計ソフトを取り入れる企業にとっては、段階的に導入しやすいのもポイントでしょう。一気にやり方を切り替えなくても、エクセルで作成してから手入力していたものをシステムへの直接入力に変える、銀行取引の入力をネットバンクからの取込に変えるなど、できるところから移行していくことができます。「段階的な導入は、効果も分かりやすく、モチベーションも上がります。会計事務所のサポートも受けながら、挫折せずに、徐々に移行できると思います」と品田氏は話します。

経営資料も豊富

経営者にもいろいろな利点があります。作業効率の向上により、人材不足や残業時間といった課題に対応できるうえ、ミスや不正が起こりにくい体制を構築することができます。日計表への直接入力のように、複数の人に作業を分散できるので、集中しがちな経理業務の負担も軽減します。

さまざまな切り口で豊富な経営管理資料が出力できる点も、高く評価されています。会計事務所からの経営に関する助言を受けやすく、月次データの早期完成により、経営者のスピーディーな判断も支援してくれます。また部

用語　FinTech（フィンテック）

Finance（金融）とTechnology（技術）を組み合わせた造語で、テクノロジーを活用した金融サービスのこと。FinTechに含まれるサービスの範囲は非常に広く、スマホ決済やアプリでの送金、複数の金融機関やクレジットカードなどの取引を一括管理できるPFM（個人資産管理）、また不特定多数の人がインターネットを通じて資金を提供するクラウドファンディングもFinTechです。経理の分野で、金融機関の取引を取り込んで自動仕訳するサービスもFinTechに含まれます。

門ごとの入力、帳票出力を標準機能として備えているので、部門管理が必要な規模の企業にも向いています。

　メリットはコスト面にもあります。クラウド発展会計は「同時接続ライセンス」というライセンス形態を採用しており、システムを利用する人数より少ないライセンス数で運用することが可能です。たとえば5ライセンスの契約ならば、同時に5人まで使用でき、実際利用する人が何人なのかは問いません。日本ビズアップによると、対象人数の3分の1程度のライセンス数で運用している企業が多いとのこと。真空企業では2ライセンスで運用していますが、社長や専務の閲覧にも不便はないそうです。

経理のデジタル化が会社全体へ

　真空企業は現在、土木工事や産業廃棄物処理分野の集塵機に力を入れています。「今後はハードだけではなく、当社が培ってきた運用ノウハウなどの提供も行っていきたい」と代表取締役の今西憲治氏は先を見ています。

地球環境にも配慮しながら製造を行う

同社のデジタル化の波も、さらに広がっています。導入したものの十分に活用できていなかったクラウド型のＳＦＡ（Ｓａｌｅｓ　Ｆｏｒｃｅ　Ａｕｔｏｍａｔｉｏｎ、営業支援システム）についても、運用の見直しを始めました。今西氏は「きちんと運用すれば、営業担当者のスケジュール、各案件の情報などをどこからでも確認できるようになります。テレワークの対象も広がり、もっと良くなると思っています」と話します。

会計ソフトのクラウド化から、紙の電子化へ、またＳＦＡの活用へと広がっている真空企業のデジタル化。同社にとって、クラウド発展会計は経理業務の改善だけでなく、営業のデジタル化まで推進するきっかけとなりました。バックオフィスから始めたデジタル化によって、会社全体の業務の進め方が変わろうとしているのです。

会計事務所から生まれた
会計のプロが作ったシステム

クラウド発展会計を開発・販売している日本ビズアップは、１９７７年創業の会計事務所が母体。会計事務所専門のシステムベンダーとして１９９９年に設立されました。

クラウド発展会計は、経理業務を効率化し、会社経営に必要な経営分析が容易に行える理想的な経営環境を整備するために、２００４年にリリースされたもの。当時の会計ソフト業界では、クラウドシステムの先駆けでした。それ以降進化を続け、現在では約５万社の幅広い企業に導入されています。

２０１４年にはネットバンキングの取引明細を自動で読取り、事前に登録したルールに基づいて自動仕訳入力が行える「ＢＡＮＫ」オプションをリリースしました。入力時間をより短縮できるうえに、複数の銀行口座を一括管理することができます。その後、預金通帳をスキャンしてＯＣＲで解析し、明細情報を取り込めるオプション「Ｐ−ＢＡＮＫ」、領収書・レシートをスキャンとＯＣＲによって仕訳入力するオプション「ＭＯＮＥＹ」もリリース。入力の自動化機能を拡充させています。

「会計事務所とともに事業の発展に貢献します」とビジョンに掲げている日本ビズアップ。会計のプロフェッショナルが開発し、会計事務所に支持されているクラウド発展会計は、簿記の基本を押さえながら、使いやすさと便利な機能を提供し、経営視点も備えた、いわば会計の王道を行くシステムなのです。

4

勤怠、給与の作業時間が「4分の1」になった仕組み

勤怠、給与に2人で4日間

福岡県北九州市に本社を構えるシャボン玉石けん株式会社は、1910年創業、1949年設立。化学物質や合成添加物を一切含まない「無添加石けん」の製造・販売を行っています。

当初は合成洗剤を扱っていましたが、湿疹《しっしん》などのきっかけになり得ることを知り「体に悪いものは売れない」と、1974年に方針転換。売上が1%にまで落ち込んだ時期もありました。それでも無添加を貫き、今では手洗い、洗顔やボディケア、ヘアケア、洗濯や台所用まで取りそろえ、幅広い年齢層に愛用されています。ファンは日本国内にとどまらず、アジアをはじめ、ア

人・環境へのやさしさを訴え続けてきたシャボン玉石けん

メリカやロシアでも増えています。

しかし、バックオフィスは大変でした。

シャボン玉石けんは、主に製造を担当する同社のほか、販売、通販、企画を行う３つのグループ会社があり、同社の総務部門が４社分のバックオフィス業務を担っています。社員はグループ全体で約１５０名。職種や勤務形態は、工場の社員、営業、通販のシフト勤務、時給のパート社員などとさまざまなのです。

出退勤には、約20年前に設置したタイムレコーダーを使用していました。月初には、紙のタイムカードと有給や残業の紙の申請書とを一つひとつ見比べて集計し、勤怠データを作成します。打刻漏れ、申請と打刻の時刻が合わないなど、不明点があれば都度問い合わせも必要です。

勤怠データが完成すると、給与ソフトに入力します。連携している部分もありますが、申請に絡むデータは手作業。有給の管理もエクセルに手入力です。入力も大変ですが、ミスがないかどうかすべてチェックするのもまた大変。給与明細の印刷、封入もあります。

月初は、勤怠、給与の業務に2人がかりで4日ほど掛かり、兼務している経理業務は滞りがちでした。

加えて、残業時間の上限規制や、有給の取得義務も始まったことで、タイムカードやエクセルの運用は限界。本人や上司が残業や有給の状況を把握しにくいことも、課題として浮上しました。

シャボン玉石けん　経理課　課長の森田雅也氏は「20年前は、売上も現在の約半分、勤務形態も工場と営業程度だったので手作業でも問題なかったの

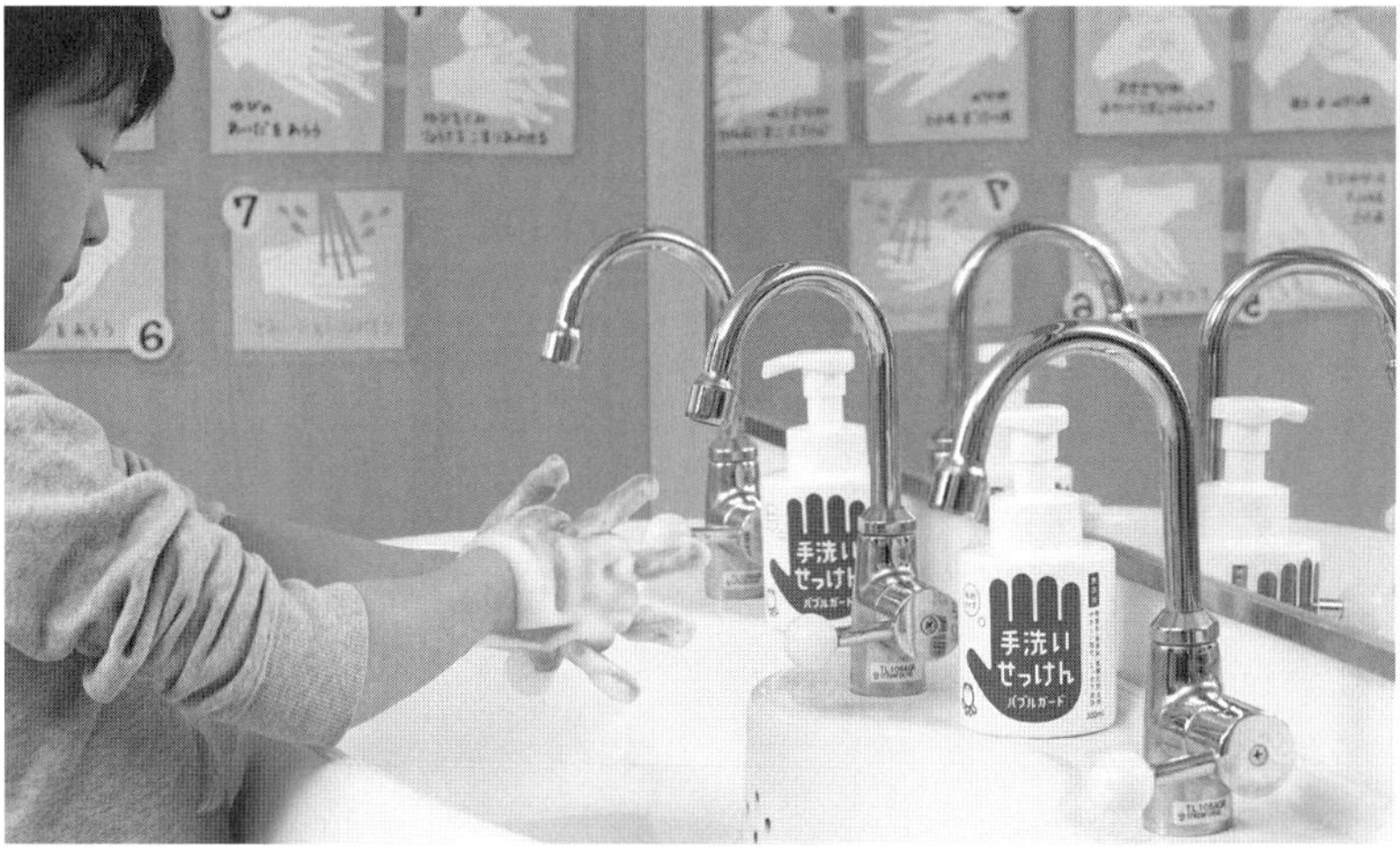

企業理念は「健康な体ときれいな水を守る」

でしょう。会社の成長や勤務形態の多様化に伴って、徐々に対応が難しくなってきたのだと思います」と話します。

多様な勤務形態に対応できる仕組みを選択

やり方を変えるきっかけとなったのは、２０１９年のある日。20年来使用してきたタイムレコーダーの不具合でした。日によって印字されないことがあるのです。メーカーに修理を依頼しましたが「もう部品がなくて修理できない」とのこと。買い替えるしか選択肢はありません。翌年には雇用保険、労働保険の電子申請が義務化されるため、給与ソフトのバージョンアップも控えていました。これらには相当な費用が掛かります。

そこで「これを機に就業、給与の仕組みを変えよう」と決断。それからは、タイムレコーダーをだましだまし動かしながら、新たな仕組みの検討を急ピッチで進めました。

取引のあるシステム会社などから紹介された中で、同社が選んだのは「ＰＣＡ就業管理Ｘ＋クラウド」と「ＰＣＡ給与ＤＸクラウド」でした。

ＰＣＡ就業管理Ｘ＋クラウド、ＰＣＡ給与ＤＸクラウドは、ピー・シー・エー株式会社が開発・販売している、就業管理システム、給与システムです。

ＰＣＡ就業管理Ｘ＋クラウドは、さまざまな

勤務形態や就業規則にきめ細かく対応しており、ＰＣＡ給与ＤＸクラウドと連動しています。

ＰＣＡ給与ＤＸクラウドは、月々の勤怠項目の入力により、給与明細を作成できる給与計算ソフトで、給与計算・賞与計算の他、算定基礎届や月額変更届の作成、年末調整など、給与計算に必要な業務の負荷を軽減することができます。ピー・シー・エーの会計システム「ＰＣＡ会計」とも連動しています。

どちらもデータはクラウドで管理。システムのソフトウェアはユーザーのパソコンにインストールしますが、アップデートやバージョンアップは随時行われる仕組みになっています。

シャボン玉石けんがこれらを選んだ最大の決め手は、同社の多様な勤務形態に対応できること。またクラウドであること、制度改正にも随時対応されること、他の業務システムに拡張可能なことも重視しました。

データがクラウド上で管理されることについて森田氏は「自動化、効率化を進めるにはネット環境が必要です。しかし安全性を自分たちで担保するのは難しいため、これまでは会計ソフトも含めてオフラインのパソコンで使用してきました。運用だけでなく、安全面でもクラウドのほうが良いと考えました」と説明します。

自動化、効率化、新しい働き方にも

２０１９年12月、新たなシステムでの運用が始まり、シャボン玉石けんの就業、給与の仕組みは大きく変わりました。

出退勤時はＩＣカードをかざすようになり、残業や有給の申請もオンラインになりました。勤怠データは自動集計され、そのデータをもとに給与計算もほぼ自動で行われます。

導入直後にコロナ禍に見舞われましたが、出退勤にＷｅｂレコーダーを活用して在宅勤務にも対応できました。新しい働き方を検討しやすい環境が整ったため、新たに時間単位で有給を取得できる制度も導入しました。

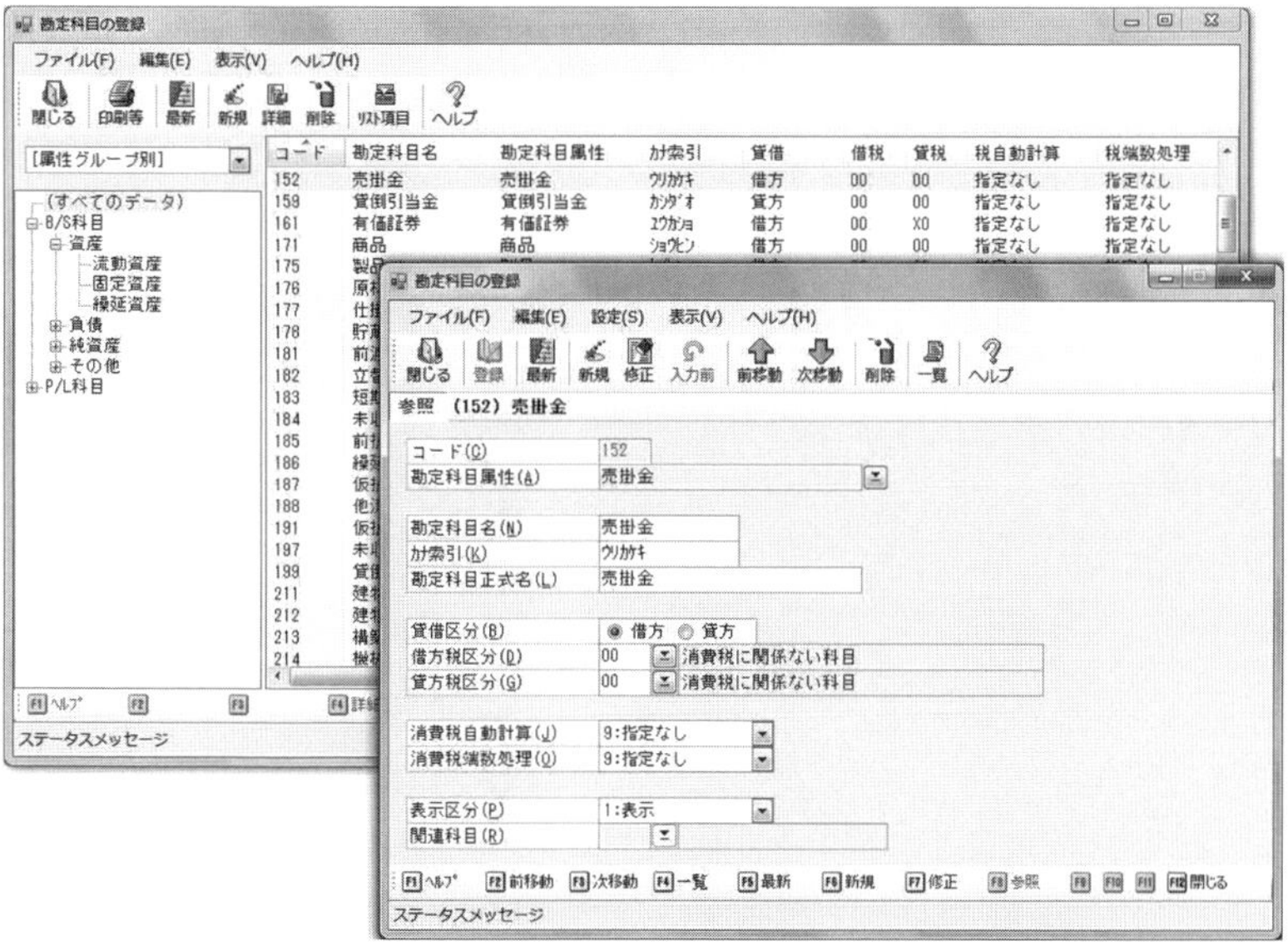

PCA 会計の画面例

さらに給与明細は、ＰＣＡ給与ＤＸクラウドと連携している「Ｗｅｂ給金帳」（株式会社インターコム）で配信。給与明細書の印刷や封入作業は不要になり、社員はパソコンやスマートフォンで明細を確認できます。

保険の電子申請は、同様に連携している「オフィスステーション労務」（株式会社エフアンドエム）で行います。ＰＣＡ給与ＤＸクラウドに装備されている機能よりも、帳票や対応している申請の種類が多いことから採用しました。

勤怠、給与の仕組みの刷新により、作業時間は以前の4分の1になりました。労働時間や有給の取得状況がパソコンで確認できるようになり、指導も行いやすくなったと言います。

「紙」だったら不満が出ていたかも

導入にあたっては苦労もありました。PCA給与DXクラウドでは、一般的な給与計算に加え、支給・控除項目に四則演算の計算式を設定しておくことができ、独自のルールも含めた自動化が可能です。シャボン玉石けんは、時短勤務など給与形態が異なるケースや確定拠出年金等もあり、式を登録する必要がありました。これを担当したのは、総務部　経理課　係長の吉田津佳紗氏です。「それぞれの式を考えるのが難しくて、苦労しました。でもおかげで、仕組みなどをよく理解できて良かったと思います。今後修正などがあっても対応できます」と話します。

一方、仕組みが変わることに対して、社員の抵抗はありませんでした。森田氏は「残業や有給の申請がオンラインになったので、最初は戸惑ったかもしれませんが、特に不満の声はありませんでした。良くしようとしていることが理解されたのだと思います。むしろ、以前のような紙のやり取りを続けていたら、不満が出ていたのではないかと思います」と話します。「紙の申請書を持って上長に提出するより、オンラインのほうが気持ちも楽」と吉田氏。心理的にも有給を取得しやすくなっているようです。

手洗いの重要性が再認識される中、業界の伸び率以上に売上を伸ばしているシャボン玉石けん。「健康な体ときれいな水を守る」という企業理念を掲げる同社は、国連が提唱する「ＳＤＧｓ」（持続可能な開発目標）を指針として明確に示し、２０３０年の目標達成を目指して取り組んでいます。

「法律や制度、企業に求められることが変わり、働き方も多様化し、管理が必要なことは増えています。当社のデジタル化への取り組みは早くはありませんでしたが、これで今後の変化にも対応していけると思います」と森田氏は話します。

豊富なラインナップ、多彩な連携

ピー・シー・エーは、1980年8月に公認会計士の有志で設立されました。同年12月に販売を開始した財務会計ソフト以来、会計、給与や人事のほか、販売・仕入や在庫管理、税務計算と、バックオフィスのシステムを40年来手掛けている老舗的存在。長年のノウハウから、柔軟に使用できる機能が豊富に装備されています。

企業のニーズに合わせて、選びやすい製品ラインナップが用意されているのも特徴です。たとえば給与ならば、数人規模の企業から使える「給与じまんＤＸ」、シャボン玉石けんでも使用している中小企業に適したＰＣＡ給与ＤＸ、より大きな企業向けの「ＰＣＡ給与ｈｙｐｅｒ」があり、企業の成長に合わせてアップグレードすることも可能です。

それぞれの製品は、ソフトウェアをパッケージとして購入するスタイルと、定期契約で月額、年額の利用料金で使用するサブスクリプションが用意されています。さらにサブスクリプションでは、データの管理をクラウドで行う方法と、自社で管理する方法（オンプレミス）から選択することができます。

近年は、管理のしやすさ、安全性、災害時等の事業継続性、また法律や制度への迅速な対応などのメリットから、クラウドやサブスクリプションを選ぶ企業が増えていると言います。

他社のシステムとの連携も重視しています。連携できれば、関連機能、周辺サービスも含めて、多くのニーズに応えられるからです。直接つながる他社製品はどんどん増えており、現在その数は70超。シャボン玉石けんが活用

用語　**オンプレミス**

「オンプレミス」（on-premises）とは、企業内でシステムを保有して、運用することを指します。これは、従来のシステム、ソフトウェアの運用方法のことですが、昨今、企業内にシステムやデータを保有しない「クラウド」（正確には「クラウドコンピューティング」）という使い方が普及してきたことから、それと区別するために使われるようになりました。

しているWeb給金帳やオフィスステーション労務も、その1つです。独自のシステムを連動させたいという要望にも、パートナーのシステム開発会社を紹介しています。

シャボン玉石けんも、自社の状況に合わせた方法でデジタル化をスタートさせました。2021年6月からは「PCA会計DXクラウド」の導入にも着手しており、経理業務の効率化はもちろん、より良い経営情報が出せることにも期待しています。将来的には、販売管理など部門それぞれで行われている管理を共通化する構想もあります。シャボン玉石けんのDXは、勤怠、給与を起点に広がっているのです。

豊富なラインナップや充実サポートで目指す
マネジメントサポート・カンパニー

ピー・シー・エーは、ラインナップの豊富さや他社との連携などから分かるように、お客様のさまざまな要望に沿って支援したいと強く考えている会社です。そのため自社製品だけでなく、連携する他社製品についてもデモンストレーションができるほど詳しいとか。顧客の困りごとを解決するために、自社、他社を問わず、幅広いシステムの相談を受けることも多いと言います。

全国の拠点数は13拠点、販売パートナーは2000社に上り、セミナーの開催回数も年間1000回を数えます。年末調整など、つまずきそうな機能を始め、選び方や使いこなし方などを紹介した記事や動画も充実しています。

サポートにも注力しており、150人体制のコールセンターでは回線がつながらないことがないよう工夫。AI技術を利用した文字対話型サポートサービスも開始しており、オリジナルサポートキャラクターの「一富士あやめ」が、24時間365日対応。AIの学習により、日々賢くなっているそうです。

常に安定的に稼働することが当たり前に求められるバックオフィスのシステム。ピー・シー・エーは、迅速なアップデートや情報提供、サポート等により、「マネジメントサポート・カンパニー」を目指しているのです。

5

残業時間10分の1。勤怠管理のデジタル化から社員の意識も変わる

現場仕事は不規則。残業の実態は不明

静岡県静岡市に本社を持つ三興商事株式会社は、１９７１年創業。建材・建築工事の施工管理、営業を営む、社員数38名の会社です。拠点を増やしながら企業としても拡大するという戦略で、静岡県内（沼津市、浜松市）のほか、近年は神奈川県横浜市、埼玉県さいたま市、愛知県名古屋市にも営業所を開設しました。

住宅以外の建築に携わっており、特に学校関係が得意。金属屋根や外壁、固定柱脚、金属製・木製建具、また体育館床、体育器具、ステンレスプールなどと、多くのメーカーの幅広い商品を取り扱っています。

同社の営業は、業界で「設計折込《せっけいおりこみ》」と言われるスタイル。設計事務所等に建材を提案し、設計の段階から各商品が仕様として組み込まれるため、２〜３年先の物件まである程度予測できるのが強みです。

三興商事株式会社の本社外観

現場仕事が多い三興商事の勤怠管理は、出勤簿に氏名を記入するだけというシンプルな方法で行っていました。主な理由は、現場仕事は時間が不規則になりがちであること、それぞれの状況に応じた時間配分で仕事がしやすいこと、管理業務を軽減できること。社員の働きやすさを考えてのことでした。

一方で、遅くまで仕事をするこ

とが日常化しているのは課題でした。残業が多いことは分かっていても、出勤、退勤時刻の記録がない出勤簿では実態を把握できず、残業削減の施策も打てませんでした。

「こんなに残業していたのか！」

そんな同社は、会計事務所から勤怠管理システムの導入を勧められました。働き方改革関連法による時間外労働の上限規制等が中小企業にも適応されるため、出勤、退勤時刻や残業時間を明確にする必要があったからです。

紹介されたのは、株式会社ヒューマンテクノロジーズのクラウド勤怠管理システム「ＫＩＮＧ《キング》 ＯＦ《オブ》 ＴＩＭＥ《タイム》」です。

ＫＩＮＧ ＯＦ ＴＩＭＥは、クラウドサービスのため、サーバ等の管理は不要。Ｗｅｂブラウザで使用できるため手軽に導入できます。打刻人数に応じた請求となり安価な料金体系で、導入から運用まで専用のサポートセンターが完備（チャット、問い合わせフォーム、予約制の電話）されており、中小企業での導入実績が多いシステムです。企業によって千差万別の就業ルールや、シフト制、アルバイトなどさまざまな勤務形態に対応できる柔軟性はもちろん、出退勤時刻の打刻方法も豊富。操作がしやすいことでも定評があり、法規制等にも定期アップデートで対応されるので安心です。

三興商事はＫＩＮＧ　ＯＦ　ＴＩＭＥを導入することにしました。勤怠管理は、出退勤の際にＩＣカードをタッチし、残業もシステム上で申請するという方法に変わり、残業時間が初めて数値化されたのです。

三興商事　代表取締役社長の嶋尻行雅氏は「最初に数字を見たときは、こんなにも残業が多いのかと驚きました。悪しき習慣が定着してしまっていたのだと思います」と振り返ります。

出勤簿と申請不要の残業に慣れていたた

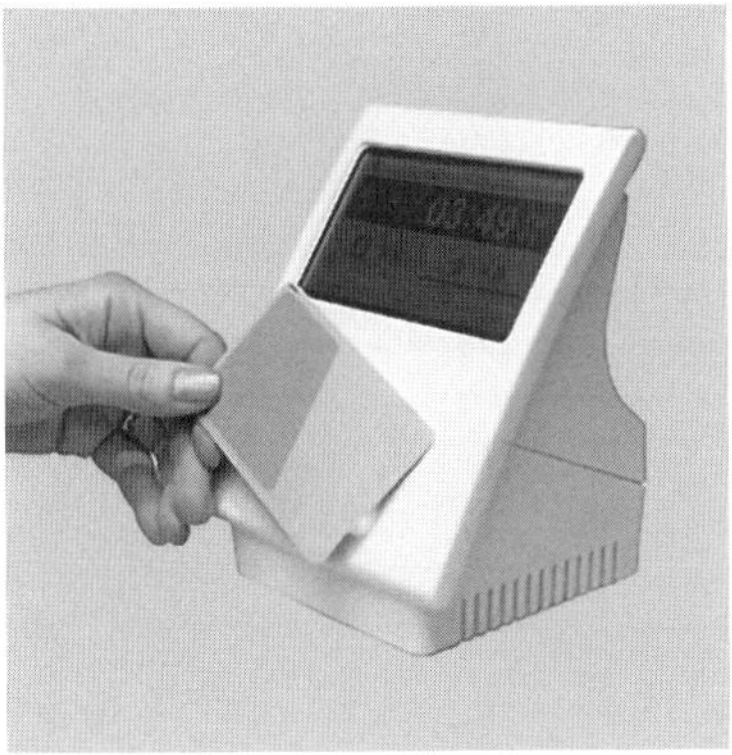

IC カードで打刻

め、当初は社員から「面倒くさい」という声があがり、残業も多いままでした。それでも早く帰るよう促し続け、腰の重かった社員たちの残業も少しずつ減っていきました。

残業時間が10分の1に

ＫＩＮＧ　ＯＦ　ＴＩＭＥの導入をきっかけに、それまで慣習となっていたことも見直しました。たとえば「月曜日は会社で朝礼に出席してから現場に行く」「直帰せず一度会社に戻る」「背広で出社して工事着に着替える」などは撤廃。細かいことかもしれませんが、少しでも時間を短縮できることは改善していきました。

新たな勤怠管理に慣れてきた頃には、社員の仕事の仕方も変化していました。時間を管理し、優先順位を付け、集中力高く仕事をするようになったのです。「限られた時間でも、やり方次第で回せることが分かってきたのだと思います。これは大きな成果です」と嶋凨氏は話します。

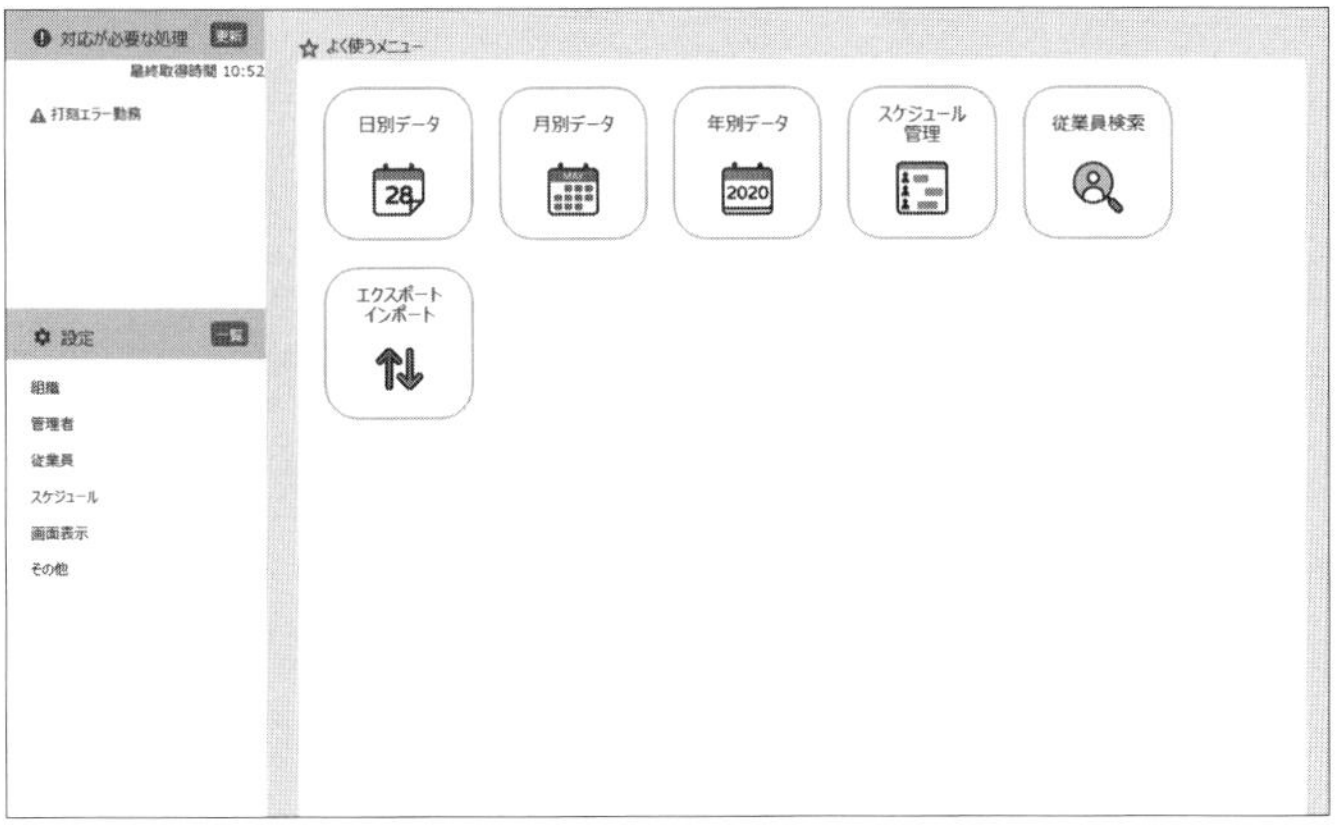

KING OF TIMEの使用画面

KING OF TIMEの導入から1年後、残業時間は当初の約10分の1にまで削減されました。

変わったことは他にもあります。「バックオフィスの負荷を軽減したい」という嶋尻氏の考えのもと、会計システムの使い方を工夫して手書きの伝票をなくしました。以前から運用している独自の日報システムも、物件状況の把握、売上の管理、情報共有等、より活用するようになりました。

勤怠管理から始めたバックオフィスのデジタル化が、その他の業務にも波及し始めているのです。

「全部スマートフォンで」が目標

嶋尻氏には、さらなる構想があります。「勤怠も日報も含めて、すべてスマートフォンでできるようにしたいと思っています。スマートフォンはみんな使っているし、どこにいても操作できる。パソコンで入力するために会社に戻るということもなくなります」と嶋尻氏は言います。

しかし嶋尻氏本人は、ＩＴにはまったく詳しくないとのこと。「若い人の考えを取り入れればいい。昔はどこかに行くために地図を見るのが当たり前でしたが、今ではカーナビにセットするだけでどこにでも行かれる。それと同じです。みんながあれだけ使いこなしているスマートフォンを活用して、もっと便利にできればいいと思っています」（嶋尻氏）。

積極的にアウトソーシングしたり、教育や試験費用の援助をしたり、誕生日休暇を付与したりと、さまざまな角度から社員を支援している三興商事。近年は社員教育にも力を入れており、建築士、建築施工管理技士の有資格者も増加しています。さまざまなメーカーの商品知識が豊富なこと、物件に適した提案ができる技術知識があることなどから、設計事務所との信頼関係はますます高まっています。

社員も成長し「職人の集まりから、組織になった」と嶋尻氏。各営業所も業績を伸ばしており、近い将来の上場も視野に、改革に取り組んでいます。

「かゆいところに手が届く」勤怠管理システム

ＫＩＮＧ ＯＦ ＴＩＭＥは、最初のリリースから17年、多くのユーザーの声や蓄積されたノウハウをもとに、機能のアップデートを重ねています。柔

用語　クラウド

クラウド型のサービスには、メリットがたくさんあります。導入が簡単で、サーバー等の設置場所も不要、初期投資が小さく、ＩＴに詳しい管理者も不要です。しかしデメリットもあります。カスタマイズが困難で、ランニングコストが発生しますし、社外にデータを置くことに不安を感じる方もいるでしょう。導入する際は、特性を理解しておくことをお勧めしますが、昨今クラウド型が一般化しているのも事実。特に、自社での管理やセキュリティの確保が難しい中小企業には、クラウドが向いていると言っていいでしょう。

軟かつ豊富な機能、誰もが使いやすさを感じられるシンプルで分かりやすい画面構成を備え、出退勤時の打刻も、三興商事が利用しているICカードのほか、パソコンやスマートフォンを活用した方法、生体認証など多種多様な方法を用意。集計が面倒な変形労働制など各社それぞれの就業ルールに則した設定が可能で、集計はリアルタイムかつ自動で行われます。

打刻忘れ等、集計に影響するエラーもリアルタイムで分かるので、締め日に作業が集中することはありません。主要な給与システムに対応したデータを二次加工の手間なく出力できるほか、勤怠管理と親和性の高いその他のサービスやシステムと連携できる仕組みも提供されています。

ヒューマンテクノロジーズ　チャネル開発部の森信二郎氏は、中小企業の勤怠管理の実情について「出勤簿や紙のタイムカードを使用している企業は多いと思います。それでも運用は可能ですが、給与計算のための集計業務など、作業にとても手間が掛かります。多様な働き方や、働き方改革による法規制への対応もあり、業務はますます煩雑になっているのではないでしょうか」と話します。

このような現状を改善する勤怠管理システムに重要なのは「とにかく使い勝手が良いこと、柔軟な設定が可能なこと、間違いなく集計できること」と森氏。「使いやすくなければ、使い続けることはできません。また１００社あれば１００通りの就業ルールが存在しますから、各社のルール通りに間違いなく集計できることが重要です」（森氏）。ＫＩＮＧ ＯＦ ＴＩＭＥは、豊富な機能や充実したサポートなどから「かゆいところに手が届く」と評価されることも多いと言います。

三興商事の理念「いつも心にありがとう」

目的、方針を明確にするのがコツ

ＫＩＮＧ　ＯＦ　ＴＩＭＥは、柔軟性の一方で、法規制に則った管理がしやすい便利な機能も備えています。たとえば「残業が規定時間を超えている」「有給休暇が取得されていない」などの場合には、アラートを表示。本人や管理者にメールで通知することもできます。

加えてヒューマンテクノロジーズでは、近年、法律に関する社員教育も強化しています。お客様からは法律に関連する問い合わせや、運用に関する相談も寄せられるため、労働法への理解を深め、適切な運用をアドバイスできる体制を整備しているのです。

「慣習や独自の就業ルールとしてやってきたことが、法律に照らし合わせてみるとグレーな場合もあり、システム導入を検討する中で初めて気付かれるお客様も少なくありません。システムやわれわれスタッフがご支援することで、法的にも適切な勤怠管理ができるようにしたいと考えています」と森氏。

三興商事のように、働き方改革関連法への対応を期に、手作業での対応に限界を感じて導入を決めた中小企業は多いとのこと。システムに対する期待がうかがえます。

しかし森氏は「システムの導入にはコツがある」と言います。「まず、勤怠管理システムを導入する目的、方針を、人事部だけでなく経営者の方も含めて明確にしていただくことが大事。そこがブレると、システムに使われるような状態になってしまいがちです。方針に基づいて、システムのどの機能を

使うのか、使わないのかを選別していただくとスムーズに導入できると思います」（森氏）。

三興商事は、残業時間を明確に把握すること、そして残業を減らすことを目指して導入しました。残業時間の大幅削減という効果だけでなく、勤怠管理のデジタル化をきっかけに社員の意識も変わり、さらなるデジタル化、職場の改革に歩みを進めています。

どんな業務や勤務形態でも使えるように
顔でも、指でも、カードでも

ＫＩＮＧ　ＯＦ　ＴＩＭＥは、導入企業数２万６０００社、利用ＩＤ数１９０万ＩＤ。クラウドの勤怠管理システムではシェアがナンバーワンと言われています。店舗や工場、オフィスなど、さまざまな業種、業態、規模の企業に導入されており、その継続率は97～99％です。選ばれ、使い続けられる理由の１つは、最先端の技術も含め、打刻方法が17種類も用意されていることです。

たとえば手軽にパソコンやスマートフォンを利用するなら、共用パソコンでのパスワード入力、各自のパソコンやスマートフォンのブラウザ、出退勤打刻とPCログイン時間の差異を集計できるＷｉｎｄｏｗｓログインなど。打刻位置確認できるＧＰＳ打刻という方法もあります。そのほかＩＣカード、指紋、指静脈、顔認証、また入退室との連動、顔認証と体温の同時検知などと多彩。複数の方法を組み合わせることも可能なので、在宅勤務にも容易に対応できます。

２０２０年には「ＫＩＮＧ　ＯＦ　ＴＩＭＥ　ショールーム」（東京都千代田区、事前予約制）もオープンしました。業界初のショールームで、すべての打刻方法を実際に体験できるほか、個別相談も可能。きっとあなたの会社の勤務形態に最適な方法が見つかるはずです。

残業時間20%削減。電話をテキスト情報にしてくれる電話番サービス

昼休みの電話対応をなんとかしたい

徳島県鳴門市の和田歯科医院は、約80年前に開業。現在の院長である和田匡史氏は3代目で、親・子・孫と3代にわたって通っている患者さんも珍しくありません。和田氏自身は主にインプラント等の口腔外科、妻であり副院長の和田麻記子氏は小児歯科、矯正歯科を担当し、一般歯科を含めて7名の歯科医師が在籍。一人ひとりの患者さんの話をじっくり聞き、またしっかり説明しながら治療にあたっています。

和田氏は「スタッフに長く、モチベーション高く働いてもらうためには、まず従業員満足（Employee Satisfaction：ES）が

和田歯科医院

大切。それが顧客満足（Ｃｕｓｔｏｍｅｒ Ｓａｔｉｓｆａｃｔｉｏｎ：ＣＳ）につながる」との考えで、職場環境の改善や、業務の効率化にも積極的に取り組んでいます。

たとえば２０１９年には、自動精算機を導入しました。それ以前の受付カウンターは２名体制でしたが、導入以降は１名で対応することができます。またお釣りなどの間違いの心配もなく、診療時間後に金銭の確認に多くの時間を取られることもなくなりました。

しかし、受付には他にも課題がありました。診療が昼休みでも電話には対応しなければならないことです。近隣に住む女性スタッフには子育て中の人も多く、昼休みには家事や育児のために自宅に戻る人もいるなど手薄になります。受付スタッフの休憩中には、他のスタッフが受付を代わったり、食事を中断して電話に出たり、落ち着いて休憩することが難しい状態でした。

特に手術日である木曜日は、手術や準備に人手を取られてしまうため、電話対応は昼休みに限らず大きな負担になっていました。

電話を受けて、オンラインで通知する「ｆｏｎｄｅｓｋ」

そこで導入したのが、株式会社うるるが運営している電話の一次取次サービス「ｆｏｎｄｅｓｋ《フォンデスク》」です。電話をｆｏｎｄｅｓｋに転送しておくだけで、オペレーターが電話を受け、設定したメールやチャットなどのツールで、おおむね5分以内に受電を通知してくれます。電話メモのように、相手の名前や電話番号、簡単な用件も知らせてくれるので、受付業務の隙間に、折り返しかけ直すなどの対応ができます。

和田歯科医院では、懸案であった昼休みと、手術等で人手が足りないときなどに、ｆｏｎｄｅｓｋに転送しています。通知を受け取るツールには、もともとスタッフ間の連絡や情報共有などに使用していた「Ｃｈａｔｗｏｒｋ《チャットワーク》」を選びました。Ｃｈａｔｗｏｒｋで通知された電話は、

①受付スタッフが休憩後に必ず確認して対応する
②対応したものはＣｈａｔｗｏｒｋに「対応済み」の旨を記載する
③対応漏れがないかどうか、事務局が最終チェックをする

というルールで運用しています。

用語　チャットツール

Ｃｈａｔｗｏｒｋ、Ｓｌａｃｋなどの「チャットツール」は、メールよりカジュアルに、隣の席の人と雑談する感覚で使えるコミュニケーションツールです。近年は、仕事に便利な機能を備えた「ビジネスチャット」というカテゴリも登場し、企業での活用も広がっています。スマートフォンでも使いやすく、テレワークなどで不足しがちな日々のコミュニケーションを補うことができます。

人は、人がすべきことに集中させたい

導入してから昼休みの電話番は不要になり、その結果、残業時間が20％削減されました。「業務時間と休憩をきちんと切り替えられるようになった」と、スタッフにも好評です。「特に地方は人材不足が深刻です。貴重な人材に長く勤務してもらうために、また産休や育休から戻ってきてもらうためには、スタッフのメンタルや時間を削らないことが重要で、電話を気にせず、しっかり昼休みをとれることも大事なことだと思っています。ｆｏｎｄｅｓｋのサービスは、スタッフのＥＳを高めたいと考えている当院の方針に合致していましたし、パソコンやスマートフォンから数分で手続きができ、低コストである点も良いと思いました。設定変更等も、オンラインで簡単にできるので、スタッフに任せてい

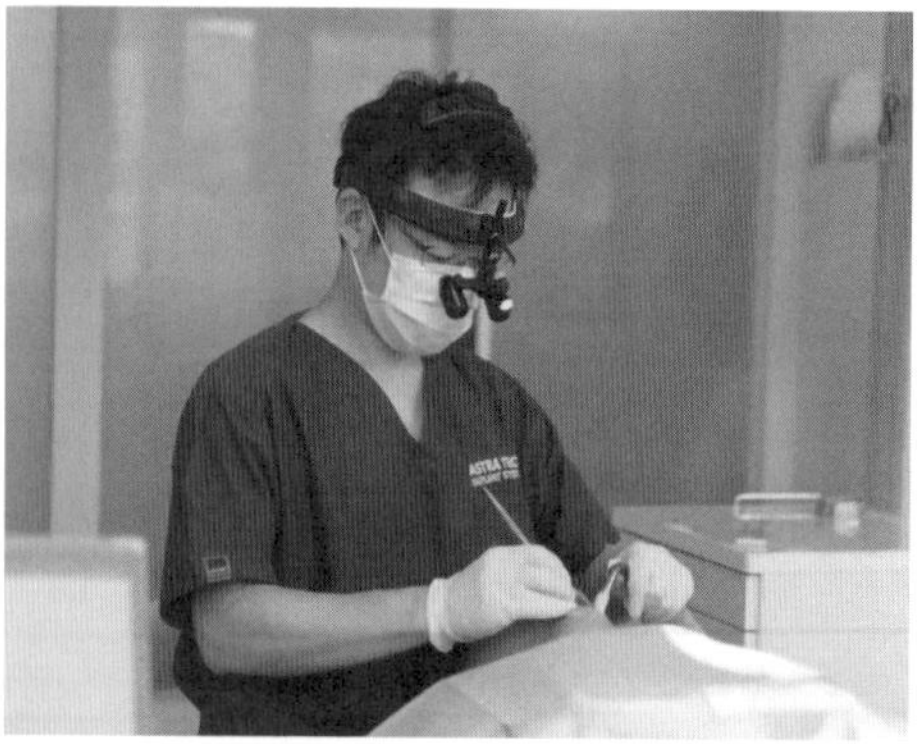

ます」と和田氏は話します。

一方、ｆｏｎｄｅｓｋは一般的な電話の取り次ぎのみを行うため、歯科に関する知識のある人が電話に出るわけではありません。それでも和田氏は「スタッフの時間を作る、院長の時間を作るという目的のためには、十分だと思います。電話に出られない時間帯は留守番電話にすることもできますが、実際メッセージを残す人はほとんどいません。人が電話に出てくれて、簡単な用件が分かれば、あとはこちらで優先度を判断して対応すればよいのです」と言います。

和田氏が考える理想は「受付カウンターから電話をなくすこと」です。「人は、人対人でなければできないことに集中させたい」との考えで、現在は、受付スタッフをコンシェルジュとすべく育成しているところです。

「人のチカラ」でサービスの価値を高める

ｆｏｎｄｅｓｋを運営する株式会社うるるは、労働力不足の解消を目的に設立された企業です。「人のチカラ」を活用できる仕組みを作ることによって、世の中に便利なサービスを提供していくことを使命としています。

同社が特に注目しているのは、かつてオフィス等で仕事をした経験を持つ「主婦」の可能性です。２００７年には、主婦を中心に在宅で短い時間でも仕事をしたいと考える人たちと、業務の一部をアウトソーシングしたい企業とをマッチングするＷｅｂサイト「シュフティ」を立ち上げました。今ではこういったサービスは「クラウドソーシング」と呼ばれていますが、当時はこのような言葉もなく、先駆け的なサービスでした。

ｆｏｎｄｅｓｋで電話を受けるオペレーターも、在宅ワーカーたちです。ｆｏｎｄｅｓｋのオペレーターは、過去にコールセンター等での電話業務の経験があり、かつ、所定の面接と研修を受けたプロが担当しています。

業務の効率化というと、一般にＩＴなどの技術を活用してなるべく人手を省けるようにすることが多いですが、うるるはなぜ「人のチカラ」を重要視しているのでしょうか。

うるる　取締役副社長の桶山雄平氏は「自動化等で人手を介さないことが価値になるサービスもありますが、人のチカラを加えることで価値が高まるサービスもあると考えているからです」と説明します。

電話は、誰でも使える便利なコミュニケーションツールですが、電話を受けることでそれまでの思考が途切れたり、業務の効率が低下したりすることも知られています。音声案内等によってある程度の自動化も可能ですが、和田氏も留守番電話を例に挙げているように、業種や業態によっては、電話番としての十分な役割を果たせないケースもあります。

デジタル化を進める流れの一方で、デジタルだけに頼らないことで価値を提供しているのです。

オンラインで申し込み、即日利用可能

紹介したようにｆｏｎｄｅｓｋは、簡単な用件を聞き、メールやチャットによって通知するというとてもシンプルなサービスで、言い換えれば「スマートな電話番サービス」です。

申し込み手続きに文書のやり取りは一切なく、オンラインで5分程度で申し込みができ、電話を転送すればすぐにオペレーターが対応を開始します。無料お試し期間も設定されており、気軽に使ってみることもできます。

電話の履歴の確認や、電話を受けたときに名乗る名前、電話を受け付ける時間（営業時間）、時間外の音声メッセージなど電話応対の設定は、パソコンやスマートフォンで操作できる「マイページ」から行います。設定した受け付け時間内であれば、何度でも転送や解除ができるので、必要に応じた柔軟な運用が可能です。

通知に使用できるツールとしては、Ｃｈａｔｗｏｒｋのほか、Ｓｌａｃｋ《スラック》、Ｔｅａｍｓ《チームス》、ＬＩＮＥ《ライン》、Ｇｏｏｇｌｅ《グーグル》 Ｃｈａｔ《チャット》、ＬＩＮＥ《ライン》 ＷＯＲＫＳ《ワークス》の各種

サービスと、Ｅメールに対応しています。

ｆｏｎｄｅｓｋは２０１９年２月のサービス開始以降、ＩＴベンチャーやＷｅｂ業界を中心に徐々に導入されていましたが、コロナ禍でテレワークが日常化してきたこともあって他業界にも一気に広がり、導入企業数は急激に増加したといいます。和田歯科医院のように、昼休み等に活用している例もあれば、常時ｆｏｎｄｅｓｋに転送しているところもあります。

中小企業では「社長宛ての電話が多いのに、営業でいつも外出している」という会社も少なくありませんが、社内の「誰か」が電話を受けてメモを残したり、携帯に連絡したりするのも、ｆｏｎｄｅｓｋのオペレーターが受電して通知するのも、プロセスは同じ。むしろ出先からいつでも確認できるほうが便利でしょう。

うるる　執行役員の脇村瞬太氏は「集中しているときに割り込んでくる電話は、ストレスになります。電話番の存在によって電話に出る必要がなくなるだけで、業務は劇的に変わります」と言います。

電話がデータになる、活用できる

では電話の一次取次サービスであるｆｏｎｄｅｓｋが、なぜＤＸにつながるのでしょうか。

「受けた電話をメールやチャットで通知してくれることによって、音声の電話が『文字データ』という『情報』になります」と、脇村氏はポイントを指摘します。

通常、電話は「１人対１人」で通話するか、もし離席していれば、電話を受けた人が宛先の人にだけメモを残します。ｆｏｎｄｅｓｋの場合は、指定したグループに対して受電が通知されるので、「情報」として「見える化」でき、即座に「共有」できるようになります。対応漏れの防止や、業務の負荷分散につながるうえに、和田歯科医院のようにルールを決めて運用すれば、対応の記録を残すことも可能です。その結果、スタッフの行動は変わり、「受付カウンターから電話をなくす」という次のステップに向けたアクションも始まっています。

また通常の電話は、かかってきたものから対応せざるを得ませんが、ｆｏｎｄｅｓｋなら電話の用件を確認してから、適した対応を選択することも可能です。たとえば、売り込み目的の電話より、「詳細な資料を送ってください」という電話のほうが、優先度が高いのは明らかですし、資料を待っている人にとっては、折り返し電話をするより、メールに資料を添付して早々に送るほうが親切かもしれません。

さらに見える化できることで、二次的な活用も可能になります。たとえば、どのような用件の電話が多いのか分類するのは1つの方法です。実際、分類してみたら、電話の8割以上が売り込みだった……という例もあるそうです。業務の効率化に役立てることもできるでしょうし、サービスの向上につながるヒントも見つかるかもしれません。

今まで電話は、切ると同時に話の内容が消えてしまうものでした。付箋に「○○様よりＴＥＬありました」と書いてデスクに貼っても、ただのメモでしかありませんでした。一次取り次ぎサービスによって電話がデータ化できると、行動が変わり、活用もできる。これはＤＸの一歩なのです。

人力でしかできない困りごとを解決する
「うるるBPO」サービス

ＢＰＯ（Ｂｕｓｉｎｅｓｓ Ｐｒｏｃｅｓｓ Ｏｕｔｓｏｕｒｃｉｎｇ）とは、企業の業務プロセスの一部をアウトソーシングすること。「うるるＢＰＯ」は、システムやＡＩ（人工知能）なども活用しながら、人のチカラを加えることで、クオリティの高いＢＰＯを提供するサービスです。

大きな特徴は、ユニークな人的リソースです。日本国内の協力会社や在宅ワーカーなどの国内パートナー、中国・東南アジア・南米などの海外パートナー、海外子会社、またクラウドソーシング「シュフティ」といった、それぞれのリソースの特徴を把握し、組み合わせて活用することで、低価格・高品質を実現しています。

たとえばキャンペーン事務局の代行では、私書箱に届いたハガキを毎日受け取ってスキャンし、項目等で切り分けることによって個人情報でない状態にし、住所や氏名などの漢字は中国、数字の電話番号はベトナムというように、適したリソースに割り当ててデータ入力を行っています。

ＤＸを進めるうえで「既存の紙の文書をどうするか」は頭の痛い問題でしょう。紙文書の電子化については、特にニーズが高いため、徳島に２５０席のスキャニング専用センターを保有して対応しています。単にスキャンするだけでなく、手書き部分の入力精度、内容の理解や経験が必要な部分など、人のチカラを加えることで、機械だけでは実現できない高精度のデータを提供しているのです。

これまでに５０００社近くの取引実績があり、さまざまな困りごと、ニーズに応えてきたノウハウが蓄積されているのも強み。デジタル化を進めたいものの、そのための人力作業が大きな壁になっている……という企業には、救世主かもしれません。

7

作業の確認時間が90％削減。介護の煩雑な管理業務がスッキリ！

厳しい管理義務は大きな負担

介護というと人によるサービスや優しさを思い浮かべるかもしれません。しかし裏では、非常に詳細な管理が義務化されています。

介護事業所は、介護保険法に基づいて保険者から指定を受けて運営し、提供するサービスの内容に応じた介護報酬を受け取ります。そのため、各業態で提供すべきサービス、スタッフや設備の配置、定期的な会議など、制度で細かく決められており、入居者、利用者一人ひとりの介護内容や活動、体調なども毎日記録しています。スタッフが替わっても一続きの介護ができるよう、共有、引き継ぎも必須です。

株式会社まごころ介護サービス

また月に1度、記録がそろっているか、制度に則った運営が行われているか、各事業所の管理者が確認することも求められています。

2～3年に1度は、実地指導と呼ばれる行政指導が行われます。もし不備があると指導、悪意や大きな過失があると判断されれば、最悪の場合、指定を取り消されて事業所を運営できなくなるという厳しいものです。

インフィックグループの株式会社まごころ介護サービスでも、管理は課題でした。同社は静岡県を中心に、神奈川県、埼玉県で、介護サービスを提供しており、運営している介護事業所は約40。施設に利用者が通うデイサービス、自宅でサービスを受ける訪問介護・看護、認知症の方がサポートを受けながら共同生活をするグループホーム等、さまざまな業態を運営しています。

同社には、人材育成やサービスの質向上だけでなく「コンプライアンスにも手を抜かない」という強い意志があります。社内体制を強化し、制度が求める管理をしっかり行っており、監査では褒められるほどです。しかし、管理業務には手間と時間が掛かり、大きな負担となっていました。

監査の準備は残業が増える

課題はいくつもありました。一つは紙をベースとした運用です。各事業所の管理者は、毎月チェックリストを印刷してチェックを行い、押印して保管すると同時に、ＰＤＦファイルにしてコンプライアンス担当者に送付します。受け取ったコンプライアンス担当者も、ＰＤＦを印刷、押印してファイリングするという運用でした。このやり方だと、書類の受け渡しにタイムラグが発生するうえ、過去の書類が必要になると探すのも大変です。

チェックリスト自体にも課題がありました。介護保険制度では、おおむね3年ごとに改正が行われるため、その都度チェックリストを更新して全事業所に配布し、改正点の勉強会を実施していました。勉強会だけでは改正点の理解が進まないうえ、時間の経過とともに事業所独自のアレンジも加わって、チェックリストにばらつきが出てしまうことも課題でした。

最も課題に感じていたのは、行政による実地指導の準備です。事業所の運営規定から、職員の勤務状況、資格や研修、利用者との契約に関わる文書、苦情や事故、会議の記録、利用者・入居者への介護記録など、ありとあらゆる資料を準備しなければなりません。事業所ごとにアレンジされてしまったチェックリストもすべて確認し、説明できるようにしておく必要もあります。実地指導の知らせが届くと、何日も残業が続く有様でした。

インフィック株式会社　コンプライアンス部　部長の大江勝樹氏は「アニー

導入時の事業所数は約30。事業所の間を走り回っていた記憶があります。当時は静岡県内の限られたエリアに集中していたので、何とかなっていたのだと思います」と振り返ります。

誰にでも使えて、改善できそう

そんな同社は、株式会社関通のチェックリストシステム「アニー」を知りました。きっかけはインフィックグループの代表である増田正寿氏が、企業の交流会で関通に出会ったことでした。

アニーは、チェックリストとマニュアルの両方の役割を持たせることによって、業務の課題を改善できるクラウドサービスです。一般的には、共通の運用ができるようにマニュアルや手順書を作成し、ミスや漏れがないようにチェックリストを活用していることが多いでしょう。アニーは、マニュアルなどに記載する内容をチェックリストの形にするというシンプルな分かりやすい方法で、業務のやり方を統一したり、抜けや漏れを防いだりすることが

シンプルで使いやすいと評判のアニー

できます。

増田氏はアニーの印象について「このチェックリストなら、誰にでも使えます。実際、煩雑な業務を漏れなく行うために、紙のチェックリストは活用していましたから、それらをアニーで置き換えれば改善されると感じました」と話します。増田氏からアニーを紹介された大江氏も「ちょうど神奈川県、埼玉県にも事業所を拡大し、対応に苦慮しているタイミングで、それまでのやり方に限界を感じていたところでした。アニーを導入すれば、コンプライアンス関係の業務が効率よく運用できそうだと思いました」と言います。

ばらつきなし、残業なし

まごころ介護サービスは、アニーを導入することにしました。

しかし懸念もありました。職員の年代は幅広く、パソコンやタブレットが得意でないスタッフもいるからです。導入に当たっては「反発されることも覚悟していた」と大江氏は言います。「でも実際は、『できるかな』と不安を口にするスタッフがいる程度でした。もともと紙でやってきたことを移行するだけで作業時間が減ることを説明し、ログインやチェック方法などの簡単なマニュアルも作成し、できるだけ不安をやわらげるようにしました」（大江氏）。

操作が簡単とは言え、やり方が変わるのです。大江氏のもとには、操作に関する問い合わせも寄せられましたが、迅速に対応しながら浸透させていきました。かつての紙のチェックリストは完全にアニーに置き換わったのです。

アニーの利用画面

その結果、運用はこう変わりました。制度改正等に伴う更新やチェック項目の修正はコンプライアンス担当が行い、クラウド上で即共有。配布の必要も、事業所独自のアレンジもなくなって、全事業所のチェックリストが統一され、チェックの質も向上しました。

各事業所の管理者が行っている毎月のチェック結果も、クラウドに置かれるのでタイムラグなし。ファイリングの手間もなく、検索も簡単です。誰がいつチェックしたのか分かるので、進捗状況も把握できます。

もし不備があっても、その都度対応しておけるので、実地指導の知らせが来ても慌てることはありません。作業時間が約90%削減され、実地指導の準備中も定時に帰れるようになりました。

管理業務の効率化がカギ

導入から約3年。大江氏は、最近も効果を感じたことがあると言います。

「2021年4月に制度の改正がありました。変更点が多かったので、改正前から数回にわたって勉強会を実施しましたが、簡単には覚えられません。改正に伴ってアニーのチェックリストを更新したところ、事業所のマネージャーから改正の詳細について問い合わせが来るようになりました。以前はなかったことで、『これもアニー効果だな』と思いました。月に1回業務チェックをすることで理解度が深まり、不備のない運営をすることができます」（大江氏）。

現在では、管理業務の引き継ぎなどにも活用されています。

人によるサービスが重要であると同時に、管理の負荷が大きい介護業界。増田氏は同業者にもアニーを勧めたいと言います。「われわれの業界はデジタル化が遅れており、ほとんどの事業者は従来の方法で管理していると思います。サービスの質を高めるためにも、人材を確保するためにも、いかに管理業務を効率化するかがカギになります」（増田氏）。

さらなる計画もあります。「アニーを活用して日頃のチェックができていれば、われわれ事業者側だけでなく指導する行政側も相当効率化できるでしょう。今後は行政も巻き込んだ展開をしたいと思っています」と増田氏。ＩＴの知識を持つ介護人材育成の仕組みも作ろうとしています。

マニュアル＝チェックリスト

チェックリストは、誰でも一度は使ったことがあるのではないでしょうか。みんなが知っているチェックリストという管理方法と、マニュアルを一体化させたアニーは、さまざまな効果を生み出します。

マニュアルは必要ではありますが、マニュアルを読んだだけですべての業務を理解するのは難しいものです。しかも一度完成したマニュアルはなかなか更新されず、結局あまり参照することもないけれど、いざ見ようと思うと見つからない、マニュアルと実業務が合っていない……ということも珍しくないでしょう。

紙のチェックリストも同様です。チェックすべき内容が多少変わっても、より細分化の必要性があると感じていても、見直されずに運用していることは多いと思います。まごころ介護サービスもそうであったように、独自のアレンジが加えられて業務のやり方がバラバラになっていることもあるでしょう。紙では保管も、過去の作業履歴を調べるのも一苦労です。

アニーならば「マニュアル＝チェックリスト」ですから、マニュアルを読破する必要はありません。関通　営業部　部長の山田愛氏は「仕事にあまり慣れていない人でも、遠慮しながら先輩に何度も質問することなく、アニーを拠り所に仕事を進められます。研修の時間を削減し、属人的になりがちな業務を統一することができるのです」と話します。

チェックリストには、チェックした人や時刻も記録され、コメントも残せます。仕事の進捗を共有できるので、途中から引き継いだり、分担したりするにも、状況説明は不要です。

万が一ミスが発生するなどして履歴をさかのぼる場合にも、条件を指定して検索できます。もしチェックリスト側の問題に気付いたなら、リスト項目の修正や追加・削除も簡単です。常に、実業務に合っている状態で使用できると同時に、アニー上でＰＤＣＡのサイクルを回すことができるのです。

みんなが使う、改善しながら育てる

アニー活用のポイントとして、山田氏は「時系列でリストをつくること。改善すること。新人もベテランも使用すること」と言います。「時系列でリスト化されていれば、上から順に仕事を進めることができて効率的です。仕事の内容が見えるので、分かりにくいもの、必要なのに書かれていないもの、逆に不要なものも分かります。作って終わりではなく、改善しながら育てていくと、仕事の質も向上すると思います。またチェックリスト自体が業務記録になるので、全員が使うことをお勧めします」（山田氏）。

仕事に慣れている人は「リストを見なくてもできる」「チェックを付ける分だけ時間が掛かるのでは」と思うかもしれません。しかし山田氏は自らの体験も踏まえ「迷わず、確実に進められるので、結果的に仕事のスピードは早くなります。忙しいときほど実感すると思います」と話します。

チェックリストは、いろいろな場面で活用されています。手軽で分かりやすく、見えることで頭も整理されます。そういった利点を生かしつつデジタル化することで、情報共有、教育、進捗管理、業務改善など、さまざまな効果を得られるのです。

ミス防止、履歴、作業分担……
自社の問題解決から誕生

アニーを開発・販売している関通は、関東、関西に16拠点を構える物流会社で、在庫を預かって出荷するのが主たる業務です。ネットショップの顧客も多く、受注管理と配送業務をワンストップで代行するサービスも提供しています。受注管理は煩雑で顧客によってルールや使用システムもバラバラ、配送業務にはラッピングや「おまけ」などショップ独自のサービスもあります。膨大な受注管理と配送のため、紙のチェックリストを使っていましたが、教えるのも覚えるのも大変で、ミスは発生するし、履歴は残らないし、作業分担もできない……と、自社の問題解決のために開発したのがアニーです。

関通の受注管理代行サービスを行うチームでは、以前は月に3万件処理して30件程度ミスが発生しましたが、アニーの運用により、処理件数は月12万件に増加。しかもミスは０～２件になりました。

改善のノウハウを紹介する「倉庫見学会」や商談の場でアニーを紹介すると、「使いたい」という声が多く寄せられたため、ブラッシュアップして商品化したのです。

利用企業数約２６０社、利用者数約８９００人。どんな業務でも使えることから、介護業だけでなく、税理士業、製造・販売業、不動産業、卸売・小売・飲食業、物流業などさまざまな業種、さまざまな規模の企業で活用されています。

COLUMN

バックオフィスが効率化 API連携のメリット

SaaS《サース》のサービスは、今、世の中にあふれています。自社に合ったものを選ぶのに苦労もあるでしょう。どれを選ぶか考えるうえで、非常に大切なのが API 連携です。

API 連携を簡単に説明すれば、各ソフトの機能を共有していくことです。たとえば、A というソフトで勤怠情報を入力すれば、他の B という給与計算ソフトにも情報が共有されます。バックオフィスのデジタル化では見落とせないポイントです。これによる一番のメリットは、リアルタイムでデータが見られるようになることです。しかも、それが一つのソフトから見られるようになるため、これまでよりスピーディーに情報が確認できます。一方で「情報は共有したいけれど、全社員に預金口座まで見られたくない」と思う経営者もいるでしょう。その場合は、アクセス権限を調整することで問題は解決できます。

これら API 連携の基幹ソフトとしてクラウド会計ソフトを利用する場合が多いと思います。どのように活用していくか迷うときも、たとえば freee の認定アドバイザーになっている会計事務所もありますし相談してみると安心でしょう。バックオフィスのさらなる効率化が図れるはずです。

（税理士法人 横浜総合事務所　山本 歩美）

DX from Back Office

第5章

バックオフィスから会社は変わる

1

企業文化が変わる

デジタル化で行動が変わる

ここまで読み進めてくださった方は、ＤＸをどう進めればいいのか、なぜバックオフィスから始めると良いのか、なぜ会計事務所がバックオフィスのデジタル化に強いのか、また各社がどのように取り組んでいるのか、お分かりいただけたのではないかと思います。

そこで、バックオフィスから始めるＤＸによって、企業はどうなっていくのか、順を追って整理してみたいと思います。

デジタル化に踏み出す直接的なきっかけは、法律への対応、会社や業務の拡大、ベテラン社員の退職などさまざまだと思いますが、デジタル化による「業務効率化」への期待は少なからずあるでしょう。

紹介してきたように、昨今は中小企業でも使いやすい価格帯で、操作性の優れたツールがたくさんあります。ツールをきちんと活用できれば、その業務に関しては間違いなくデジタル化、データ化されます。ツールは集まったデータを集計したり、同じことを繰り返し行ったりするのは非常に得意ですから、一定の効率化は期待できるでしょう。

しかし、事例の中でも語られていたように、ツールを導入するだけで問題が解決すると期待するのは、短絡的すぎます。

たとえば身近なツールであるエクセルで帳票を作るとしても、帳票作成だけをデジタル化してプロセスが同じだったら、きれいな帳票ができるだけに過ぎません。業務の効率化、改善という意味では何も変わりません。今までのやり方に固執しすぎると、ツール導入、デジタル化の効果を十分に得られないのです。

またツールは「融通を利かせる」「いい感じに処理する」といった曖昧なこ

とは苦手です。会社の業務には「あの人しか分からない」「いつもこうしている」といったルールや習慣も多いもの。普段はそれが曖昧とは感じていないかもしれませんが、デジタル化するということは、そういう曖昧さをできるだけなくすことでもあるのです。もちろんアナログとデジタルを併用するのも1つの選択肢ではありますが、曖昧さがなくなると、分かりやすく、効率も良くなります。

さて、あなたの会社で何らかのツールを導入し、業務のプロセスも少し見直したとしましょう。たとえば申請をオンラインにしたら、どこからでも申請・承認ができるようになります。紙のタイムカードをスマートフォン打刻に変えたら、テレワークを進めやすくなるでしょう。オンラインで経費精算ができるようにしたら、月末に領収書を集めたり、入力したりする必要がなくなります。

お気付きのように、何かをデジタル化したことがきっかけで、プロセスが変化していきます。今までの習慣が変われば最初は戸惑うかもしれませんが、慣れればそれが当たり前になります。会社の目指す方向性を社員と共有すれば、協力してくれるに違いありません。

プロセスが変わった結果、当然社員の行動も変化します。バックオフィスの業務は、経理や人事の担当者だけのものではなく、社員全員に関わること。だからデジタル化によって、社員の行動は変わるのです。

見えると動ける

デジタル化すると、自動的にデータが蓄積されます。データが蓄積されることで事実が「見える化」され、共有、活用できるようになります。これは、ＤＸを進めるうえで非常に重要なことなのです。

紙の状態でも蓄積はできますし、キャビネットから文書が綴《と》じられたファイルを取り出せば見ることもできますが、「推移を見る」「比較する」などには一工夫が必要です。データ化されていれば、集計や加工は容易。状況把握もしやすく、気付きも得られます。

見える化できるとどうなるのか、残業を例に考えてみましょう。たとえば、漠然と「多い」と思っていた残業時間が、数字で明確に見えれば、誰に、あるいはどういう職種に多いのか、時期的にはいつ多いのかなど、気付くことができます。「在宅勤務続きで運動量が減っているな」と感じていてもなかなか生活は変えられませんが、体重計の数字を見れば「おやつは控えめにしようかな、運動しようかな」と考えるでしょう。実態を明確に把握できれば、どのような状態を目指せば良いのか分かりますし、具体的な改善策を考えることもできます。

すぐに見られることで、早い対応も可能になります。たとえば、ある人だけ極端に残業が多いことを1か月後に知っても、必要なときにサポートしてあげることはできませんが、表やグラフならひと目で分かります。法律面での問題もさることながら、仕事を分散するなり、手助けをするなり、すぐに必要な対応ができます。

気付きは行動を促します。漠然とした感覚ではなく、デジタル化により誰にでも事実が見え、共有できることで、今までできていなかった行動ができるようになるのです。

成功体験でもっと変わる、企業文化になる

バックオフィスからＤＸに取り組むと、成功体験を積みやすいこと、成功体験によって次の一歩に踏み出しやすいことは、第2章でご紹介しました。

成功体験は、前向きな気持の原動力となり、やる気にさせてくれます。非常に手間が掛かっていた作業が効率化されたら、もう一段階上も試してみたくなるでしょう。ＩＴにあまり詳しくないから、やり方を変えたくないからと、敬遠しがちだった人も、一つ成功を体験することで「やってみてもいいかな」と思えるようになるのではないでしょうか。

ＤＸは、一足飛びにできることではありません。言い換えるならば、「ＤＸをやるぞ！」と大きな目標を立てても成し遂げられることではないのです。小さな目標を一つひとつクリアしながら、デジタル化する、見えるようにする、

少しずつ行動が変わる……といったことを積み重ねて実現していくものです。

バックオフィスの一部の業務をデジタル化しても、飛躍的な効果は実感できないかもしれませんが、焦る必要はありません。昔ながらの方法でバックオフィス業務をまわしてきたところから、デジタル化のはじめの一歩を踏み出し、行動が変化したのは事実です。

初めての携帯電話やスマートフォン、初めてのカーナビを思い出してみてください。「難しそう」「きっと使えない」「自分には必要ない」と思っていた人も、気が付けば便利に使っていることでしょう。すでに「ある」ことが普通になっているのです。

同じようにバックオフィスのデジタル化も、定着することで、企業の新たな文化、慣習となっていきます。小さな成功体験でも、確実にＤＸに向かう歩みであり、その積み重ねが企業文化を変える。バックオフィスから企業の変革を進めていることにほかならないのです。

COLUMN

経理の新たな役割 データ・サイエンティスト

DX を進めていくと、経理がいらなくなるんじゃないかと思う人もいるかもしれません。もし経営者がバックオフィスのデジタル化を、人件費やコストの削減という目的でとらえているなら赤信号です。

たしかに、バックオフィスのデジタル化で経理業務は効率化し、従来の経理業務は極小化していきます。しかし、それは経理が必要でなくなるという話ではありません。今後の経理は「戦う経理」という新たな役割を果たすことになるのです。

たとえば、財務会計はツールに任せ、管理会計へ業務をシフトすることで利益を出せる企業体質に生まれ変わらせることも可能でしょう。または、売上が増える理由を分析していけば、販売戦略へ貢献できる部署という、新しい役割も期待できます。

DX における重要な人材の一つが、こうしたデータ・サイエンティストです。中小企業のデータ・サイエンティストの役割を経理が担うことができれば、DX の実現はより現実的になることでしょう。これからの経理は顧客価値を創出する部門へと変革を遂げてほしいものです。

（税理士法人 長尾会計　長尾 博）

2

「未来会計」で「これから」を見よう

過去の成績でなく、未来を考えよう

請求書発行も、勤怠・給与も経費精算も、バックオフィスのあらゆる数字が最終的に集約されるのは会計です。近年、会計事務所や税理士の間では「未来会計」という言葉が使われ始めています。バックオフィスのデジタル化やDXに興味を持ち、ここまで読んでくださったあなたには、ぜひ未来会計も知っていただきたいと思います。

これまで一般に会計と呼ばれてきたものは、過去の結果です。未来会計に対して「過去会計」と言うこともあります。これは、学校で学期の終わりに渡される成績表のようなもの。この1か月、あるいはこの1年、あなたの会社がどのような状態だったのかが分かります。税金も決まります。これはこれで、制度としても、経営においても重要なことです。

一方未来会計は、税務申告のため、結果報告のためだけの会計ではなく、将来の自社の状況を予測するために、目指す姿に向けた課題を見つけて策を打つために、会計データを活用するという考え方です。これは、進学塾で目指す学校に入るために、自分のレベルを知るようなものです。

なぜこのような考え方が登場しているのでしょうか。企業の状態を示す会計データからは、課題や対策すべきポイント、また市場の変化を読み取ることができます。企業を存続させる、発展させるという観点に立つと、会計データは未来のために活用できる情報の宝庫。これを活用しない手はありません。

これまでも前年度の決算を見て、次の計画を立てているという会社はあるでしょう。ただ、一般に最終的な決算や報告が出てくるまでには１〜２か月程度掛かります。これだけ世の中の変化のスピードが速くなると、２か月後に出てくる結果を待っていていいのかという疑問が残ります。

たとえば、コロナ禍の影響で売上が急激に落ち込んでいる店舗で「このまま毎日店を開けるべきか、休業したほうがむしろ損益が少ないのか」という決断を迫られているとしましょう。こんな緊急の判断を2か月後にしたのでは、残念ながらあまり意味がありません。その間、損益を出し続ける可能性もあります。つまり、的確な予測ができるかどうかで、企業の明暗が分かれる時代になっていると言っても過言ではありません。だから、皆さんを支援する立場の私たちは、未来会計にシフトチェンジしようとしているのです。

数字に基づいて予測しよう

前節でデジタル化によってデータが蓄積され、いつでも見られるという話をしました。的確な予測をするためには、リアルタイムに集計され、見られることは大きな意味を持ちます。「リアルタイムに」を実現するには、バックオフィスのデジタル化は必須です。

デジタル化されていなかったら、データを集めることから始めなければなりません。たとえるなら「お腹が空いたので冷蔵庫を開けてみたら、何もなかった。買い物に行かなくちゃ」という状態です。

でも問題に気付いてからデータを集めていたら対応が遅れ、最悪の場合、経営が成り立たなくなる可能性もあります。「お店に行ったら、みんな売り切れ。買い物もできないし、お腹が空きすぎてもう動けない……」ということになってしまうのです。

「データはなくても感覚的に分かる」という方もいるでしょう。いわゆる「勘」や「経験」が正しい場合も多々ありますが、データがなければ次も、その次も勘に頼らなければなりません。勘が働く社長やベテラン社員は、ずっと会社にいてくれるわけではありませんし、変化のスピードも度合いも大きくなる中で、勘だけでは限界があります。

データが蓄積されていれば、リアルタイムに会社の状況を知り、「数字」という根拠のある予測を、タイムリーにできます。冷蔵庫に食材があれば、お腹が空いて動けなくなる前に何か食べられる……というわけです。

未来会計は、今までの概念では経営コンサルティングに相当する分野だったかもしれませんが、私たちも考え方や行動を変えようとしています。成績表を渡す学校の先生から、目標達成をサポートする塾の先生になり、皆さんのより良きパートナーになりたいと思っています。今ここで未来会計を知ったのですから、これからは先を見た経営にシフトしていきませんか。

COLUMN

使えるデータを見出すデータマイニング

ビッグデータに象徴されるように、たくさんの量や種類のデータを扱う時代になりました。中小企業にとっても他人事ではありません。ビッグデータとは言わないまでも、これまでよりも多くのデータが扱えるのは同じです。

しかし、データのすべてが有用かと言うと、そうとは言い切れません。使えるかもしれないけれど、使えないかもしれない……。上手に活用するための技術がデータマイニングです。マイニングは「採掘」と言う意味。大量のデータという鉱山から有用なものを掘り出すイメージです。

データマイニングには専門的な分析・抽出方法があったり、AIを利用するなど高度なツールもあります。DXにはデータマイニングに長けた相手をパートナーに選ぶというのも一つの考え方でしょう。

データマイニングにより「Aという商品と一緒に、関連性のないBも買っていくお客様が多い」「営業成績が高い従業員は、毎朝ブラックコーヒーを２杯飲んでいた」という、思いもよらなかった結果が出るかもしれません。すると、従来行ってきたよりも高度なマーケティングや商品開発戦略を立てることも可能になってくるでしょう。

（税理士法人内田会計事務所　内田 佳伯）

DX from Back Office

3

バックオフィスのDXが目指すもの

データに基づいた経営判断、そして行動

最後に、バックオフィスからDXを始めた企業は、どういう姿を目指すべきなのか、考えたいと思います。前節で紹介した未来会計ができる状態、すなわちバックオフィスの情報がデータ化、集約されていて、数字に基づいた予測、経営判断ができる状態。これは1つの青写真と言っていいでしょう。

データがあれば分析が可能ですし、過去のデータから判断のためのしきい値を設定しておくこともできます。複数の要素を組み合わせて、今まで気付かなかった因果関係を見つけることもできるかもしれません。リアルタイムに状況が見えるなら、新たな商品やビジネスをスタートする前に、少し試し

て可否を判断することもできるでしょう。

加えて今の時代に求められるのは、変化を見極める力、行動する力です。ＤＸは、業務のデジタル化自体が目的ではありません。「ビジネスモデルを変革するとともに、業務そのものや、組織、プロセス、企業文化・風土を変革」することを目指しているのです。データから自社の課題や今後の状況、市場の傾向などを見極め、行動していく。データに基づいて経営判断をし、企業や業務を変革する。こういう姿を目指していこうではありませんか。

こう言うと壮大で難しいことのようですが、バックオフィスから始めるＤＸは、低いハードルから始めることができます。一部の業務だけでもデータ化されれば気付きが得られ、経営判断に生かすことは可能です。

たとえば、コロナ禍で売上の数字が落ちている。営業の社員に聞いてみると、訪問営業に行かれないと言う。ならば、オンラインで営業できる方法を考えよう……。

残業が減って時間に余裕ができている。ならば、今のうちにベテラン社員のスキルを学ぶセミナーを企画しよう……。

これらも、データに基づいた経営判断です。少しからでもできるから、私たちはお勧めしているのです。

目的を見失わない、歩みを止めない

バックオフィスから始めるDXはハードルが低いとは言うものの、何から手を付けたらいいか分からないという方は多いと思います。

もし、将来の自社のために変革したい、新たな価値を生み出したい、デジタルを活用して次のステップに進みたい、と少しでも思っているなら、ぜひ会計事務所に相談してください。どの業務のデジタル化から取り組めばいいのか、たくさんあるツールの中から何を選んだらいいのか、どのルールを見直せば良いのかと悩んでいるなら、私たちを頼ってください。

会計事務所は、あなたの会社の特徴や状況を、おそらく社員以上に理解しています。いろいろな業種、企業の取り組み事例も知っています。数字の見方はもちろん、経営計画に関する相談、適したツールや運用のアドバイスなど、お手伝いやご提案できる引き出しを持っています。

そして第1章に記したように、ＤＸの失敗は「取り組みを続けないこと、目的を見失ってしまうこと」。言い換えれば、まずデジタル化の一歩を踏み出し、目的を見失わずに、取り組み続けることで成功に近づいていきます。

私たちは、あなたの会社の最適解に向けて、ＤＸの歩みを止めないことが最も重要だと考えています。一緒に、バックオフィスから始めるＤＸに取り組んでいきましょう。いつか振り返ったとき、変革を遂げた会社の姿を誇らしく思えるはずです。

COLUMN

モチベーションが見える?!
データ分析の近未来

「テレワークをすると従業員はサボるのでは？」と不安がる経営者もいることでしょう。見てようが見てまいが結果を出す人は出すでしょうし、テレワークに限った問題ではありませんが、こうした不安は付き物です。

この不安解消にデータを活用することも可能です。一例として、パソコン作業のログ（記録）を自動的にデータとして取得することで、いつ誰がどんな業務に当たっていたかも分かります。また、チャットツール上のやりとりをAIで分析して「うまく連携をとっているね」「あまり発言がないな」などと把握もできます。すると、テレワーク下における従業員のモチベーションや社内の雰囲気が見える化されるのです。これらはセブンセンスグループで「みえるクラウドログ」として開発しているもので、すでに現実的な技術でもあります。決して近未来の話ではありません。

モチベーションの見える化から、実態に即した人員配置や支援もできます。従来からの経営者や人事部の“直感”による人員配置だけが正解ではありません。データは直感を助ける判断材料。あるいは業務の向き不向きが分かり、新しい才能を開花させる従業員もいるかもしれませんよ。

（セブンセンス税理士法人（セブンセンスグループ）　山口 高志）

DX from Back Office

中小企業
DX推進研究会

会員一覧

株式会社葵ビジネスコンサルタンツ

横田 昭夫 Akio Yokota

●横田税務会計事務所代表・税理士

1975年税理士登録後、横田税務会計事務所開設。中小企業庁認定経営革新等支援機関・金融税理士アドバイザー・政治資金監査人。

東京都大田区にある税務会計事務所です。このたび旧来の税務会計支援サービスに加え、ＤＸ経営支援事業部を立ち上げました。貴社の経営管理支援のため、経営計画の作成から予実管理を月次にて管理することにより、赤字経営を許さない企業体質を構築するコンサルティングシステムを御提供いたします。

Aoi Business
会計のグッド・コミュニケーション

〒143-0022　東京都大田区東馬込 1-12-12 横田会計ビル 2F
TEL.03-3775-1220　FAX.03-3775-1156
E-mail ▶ aoi@aoibc.com
URL ▶ http://www.aoibc.com/

イプシロン株式会社

角田 達也 Tatsuya Tsunoda

●代表取締役・DX型製販分離コンサルタント

1964年東京生まれ。青山学院大学経済学部卒業後、東芝グループ入社。全国の士業事務所へのＩＴ化専門部署で営業、企画、ＩＳＯ9001コンサルタント、営業課長を歴任。2002年イプシロン株式会社を設立。

当社は、士業事務所の経営改善コンサルティングに長年携わってきた、業務標準化・営業企画・ＩＴ活用・Ｗｅｂブランディングの専門実務家が、「士業勝ち残り実現」の為に現場改善支援業務（製販分離）を全国で実践しております。

設立から20年間で北海道から沖縄まで、日本全国約３８０事務所の経営、業務改善に従事。

〒158-0097　東京都世田谷区用賀 4-5-24
青木ビル 1 階
E-mail ▶ epsilon@etcg.biz
URL ▶ https://www.etcg.biz

株式会社イワサキ経営

吉川 正明 Masaaki Yoshikawa

●代表取締役社長

1973年静岡県三島市生まれ。1996年岩﨑一雄税理士事務所に新卒で入社、2013年より現職。日本商工会議所青年部にも2014年より出向、2021年度は日本商工会議所青年部会長を務める。

静岡県沼津市に本社を持ち、グループ全体で100人規模の事務所です。コンセプトに「理念・クレドにマッチしたオフィス」「社員が働きやすいオフィス」「お客様に安心してもらえるオフィス」の三本柱を掲げ、地域の中小企業のお手本となる事務所を目指しています。この実現のために、フリーアドレス座席の導入や物理的スペースの効率化と併せて、DX化を進めました。得意なDXは、ペーパーレス、RPA、DXなオフィスづくり等。

〒410-0022　静岡県沼津市大岡 984-1
TEL.055-922-9870
FAX.055-923-9240
URL　▶ https://www.tax-iwasaki.com

税理士法人 内田会計事務所

内田 佳伯 Yoshinori Uchida

●代表社員・税理士

1975年長崎県生まれ。2008年税理士登録。会計事務所勤務を経て、2009年に株式会社内田会計事務所代表取締役、2021年に税理士法人内田会計代表社員および同法人長崎オフィス所長に就任。

1980年に創業した内田会計グループは、税理士法人内田会計事務所を中心にして、経営コンサルティングをおこなう株式会社内田会計事務所、IT化を支援する一般社団法人長崎バックオフィスソリューションズなどのグループ会社で構成されています。経験豊富なIT専門スタッフを擁し、お客様のDX化を支援しています。

〒852-8008　長崎県長崎市曙町4番9号
TEL.095-861-2054　FAX.095-862-8885
E-mail ▶ info@uchida.or.,jp
URL　▶ https://uchida.or.jp

税理士法人 さくら優和パートナーズ

岡野 訓 Satoru Okano

●代表社員・税理士

1969年生まれ。銀行、税理士事務所勤務などを経て、2001年11月税理士登録、2015年さくら優和パートナーズ代表社員。株式会社優和コンサルティング社長を兼務。

税務・会計はもとより創業支援、医療経営支援、企業組織再編、相続・事業承継、M&A推進、事業計画の立案など企業経営の様々な課題をトータル的にサポートするスタッフ数120名を擁する税理士事務所です。

また熊本、福岡、鹿児島の3拠点に5箇所の事務所を構え、複数の税理士のほか、会計士、中小企業診断士など各ジャンルの専門家が揃っているのも当社の特徴で、九州の企業の経営をバックアップします。

〒860-0051　熊本県熊本市西区二本木 4-9-45　優和ビル
TEL.096-297-1011
FAX.096-297-1012/096-297-1013
URL　▶ https://s-ket.com/

税理士法人ストラテジー

園田 剛士 Tsuyoshi Sonoda

●公認会計士・税理士

1976年熊本県生まれ。公認会計士試験合格後、太陽有限責任監査法人を経て2017年独立開業。趣味は競馬。夢は馬主になること。

2017年9月1日熊本県熊本市中央区にて開業。「企業の未来予想屋」として、クライアント様からのありがとうの数を日本一にしたい事務所。

税務だけはでない「究極のおせっかい」を掲げ、ゼロから3年で関与先様が100件を超える。

現在、公認会計士2名、税理士2名、総勢13名で日々クライアントの未来を予想し続けている。

〒860-0831　熊本県熊本市中央区八王寺町 30-1
メインプレイス熊本南 6F-E
TEL.096-334-1870
URL　▶ https://strategy-tax.jp/

セブンセンス税理士法人（セブンセンスグループ）

小長谷 康 Yasushi Konagaya

●代表取締役 会長

1950年5月生まれ。アイ経営指研を設立し、2003年アイクスグループ代表に。2019年セブンセンスグループ代表取締役会長に就任。

徐 瑛義 Youngeui Seu

●代表取締役 社長・税理士・行政書士

1976年11月生まれ。2008年税理士法人東京税経センターを設立。2019年セブンセンスグループ 代表取締役 社長に就任。

創業50年。全国10か所のオフィスに税理士、社会保険労務士、行政書士など多くの有資格者とIT専任者が在籍する日本有数の大規模士業グループです。

信頼と実績を重ね、現在は2500社超のお客様をサポートしています。

特にIT・システムの分野において突出した実績を持ち、顧問先をはじめ全国の士業事務所へもサポートを行っています。

〒107-0052　東京都港区赤坂 2-15-16　赤坂ふく源ビル 4 階
TEL.03-6426-5542（代表）　FAX.03-6426-5543
E-mail ▶ info@seventh-sense.co.jp
URL　▶ https://seventh-sense.co.jp/

税理士法人 長尾会計

長尾 博 Hiroshi Nagao

●代表社員 税理士・行政書士

昭和44年岐阜市生まれ。平成4年同志社大学経済学部卒業。平成9年伊藤忠製糖株式会社での勤務を経て長尾会計事務所入所。平成26年年税理士法人長尾会計　代表就任。

創業50年、当社の強みは、中小企業を取り巻く環境変化を分析し、その会社に適合した業務プロセスの改善提案を実施してきた実績にあります。

特に、中小企業の経理DX化への支援は、人手不足に悩む中小企業にとって、有効となる戦略だと位置づけ、早い段階からバックオフィスの効率化に向けた取り組みと研鑽を実践してきました。我々の強みは、伝統とサイエンスの融合にあります。

〒500-8027　岐阜県岐阜市中大桑町 11 番地の1
TEL.058-265-5091　FAX.058-265-5096
E-mail ▶ hiroshi@nagaokaikei.com
URL　▶ https://www.nagaokaikei.com

税理士法人 中山会計

小嶋 純一 Junichi Kojima

●税理士

1977年石川県生まれ。2000年横浜国立大学卒。税理士法人中山会計にパート採用後、正社員雇用、社員税理士登録、常務を経て現在は代表社員専務を務める。

私たち税理士法人中山会計は、石川県金沢市に事務所を構え創業54年を迎える老舗会計事務所です。

一方でお客様にとって一番相談しやすい存在となることを目指し、変化に対し臆することなく自ら取り組み、その経験をお客様に展開することを基本スタイルとしています。

DXは私たち会計事務所にとっても取り組むべき最重要課題です。社内にて絶賛取り組み中ですので様々な情報と経験を共有させていただきます！

〒921-8161　石川県金沢市有松 2-9-18
TEL.076-243-5233　FAX.076-243-5234
E-mail ▶ account@nakayama-kaikei.com
URL ▶ http://www.nakayama-kaikei.com

日本みらい税理士法人

山本 藤郎 Fujiro Yamamoto

●税理士

平成11年3月　みらい税理士事務所開設。
平成19年8月　日本みらい税理士法人設立。

宮城県仙台市を拠点として、東北を中心にサービスをご提供しております。

お客様が事業を経営していく際に遭遇する様々な問題を「ワンストップサービス」で解決する「トータルサポート・ネットワーク」を提唱し、関連会社との連携により税務のみならず労務・コンサルティング・不動産など幅広いサービスを提供しております。

〒980-0811　宮城県仙台市青葉区一番町２丁目8-10
あいおいニッセイ同和損保仙台一番町ビル3階
TEL.022-302-5807
URL ▶ https://www.keirijimu.com/

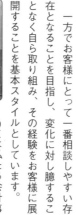

税理士法人 横浜総合事務所

山本 歩美

Ayumi Yamamoto

●代表社員 税理士

1975年群馬県生まれ。横浜国立大学卒。1998年に現・税理士法人横浜総合事務所に入社以来、業務面で様々な改革を担当。2017年1月、税理士法人を承継、代表社員就任。

私たちTEAMyoko-soのミッションは「お客様のビジョン実現と真の豊かさの創出をサポートする」ことにあります。経営に係る全ての諸問題に対応可能な「ワンストップ型総合事務所」として、個人事業主から上場企業まで約500社のお客様のお手伝いをしています。「地域一番事務所」を目指し、環境対応業である経営者に伴走しながら課題を共に解決していくのが私たちの仕事です。

〒231-0023　神奈川県横浜市中区山下町 209　帝蚕関内ビル 10F
TEL.045-641-2505　FAX.045-641-2506
E-mail ▶ client_liaison@yoko-so.co.jp
URL ▶ http//www.yoko-so.co.jp

編著者紹介

中小企業DX推進研究会

中小企業の課題解決と経営革新に役立つＤＸの推進のための、会計事務所を中心とする研究会。顧問先企業の課題を深く知るパートナーとして、システムやサービスに合うのではなく、企業の実態に合う適切なＩＴツールの提案・構築により課題を解決し、ＤＸ推進をサポートすることを強みとしています。

●運営：セブンセンスマーケティング株式会社。

中小企業DX推進研究会 会長：山口 高志

セブンセンスグループ　ＤＸ支援部　部長。２００５年アイクスグループ（現セブンセンスグループ）入社。シンクライアントシステム、ペーパーレスシステムなどの構築と運用に携わるとともに、会計事務所のシステム導入サポート、コンサルティングも行う。

なぜDXはバックオフィスから始めるとうまくいくのか

2021年8月23日　　第1版第1刷発行

著　　者　中小企業DX推進研究会
発 行 者　市村祐記

発 行 所　金融ブックス株式会社
東京都千代田区外神田6-16-1
Tel. 03-5807-8771　Fax. 03-5807-3555

編　　集　三坂輝プロダクション
執筆協力　杉本恭子、福嶋誠一郎
イラスト　とみたちひろ
デザイン　有限会社クリエイティブ・ヴァン
印刷・製本　新灯印刷株式会社

ISBN978-4-904192-92-4 C0034　Printed in Japan